D1071101

# LE ROYAUME DES
# INSECTES

Atlanta International School
Ecole Internationale d'Atlanta
Colegio Internacional de Atlanta
International

2890 NORTH FULTON DRIVE
ATLANTA, GEORGIA 30305

Cétoine d'Afrique
*(Dicranorrhina derbyana)*

Taupin
d'Amérique
centrale
*(Semiotus
angulatus)*

Cétoine du Nord
de l'Inde
*(Jumnos ruckeri)*

Fulgore d'Inde
*(Pyrops delessertii)*

Phasme de l'Inde
du genre *Tirachoidea*

Punaise d'Indonésie
*(Caliphara praslinea)*

Scarabée
d'Indonésie
*(Chalcosoma atlas)*

Anthribe du sud-est de
l'Asie *(Mecocerus gazella)*

Mouche bleue
*(Calliphora
vomitoria)*

Abeille des sables d'Europe
*(Andrena fulva)*

# LE ROYAUME DES
# INSECTES

par

## Laurence Mound

en association avec le British Museum
(Natural History Museum), Londres

Photographies originales de Jane Burton, Neil Fletcher,
Frank Greenaway, Colin Keates, Kim Taylor
et Oxford Scientific Films

Cerf-volant
du nord-est de l'Australie
*(Phalacrognathus mulleri)*

Sauterelle des tourbières
d'Europe *(Metrioptera
brachyptera)*

Chrysomèle
d'Amérique du Sud
*(Doryphorella 22-punctata)*

Scarabée tortue
d'Amérique du Sud
*(Eugenysa regalis)*

Punaise d'Afrique
*(Sphaerocoris annulus)*

Guêpe dorée
d'Australie
*(Stilbum splendidum)*

Staphylin d'Europe
*(Emus hirtus)*

Longicorne
d'Amérique centrale
*(Callipogon senex)*

Chrysomèle
d'Amérique du Sud
*(Doryphorella princeps)*

Punaise d'Indonésie
*(Cantao ocellatus)*

# LES YEUX DE LA DÉCOUVERTE
## GALLIMARD

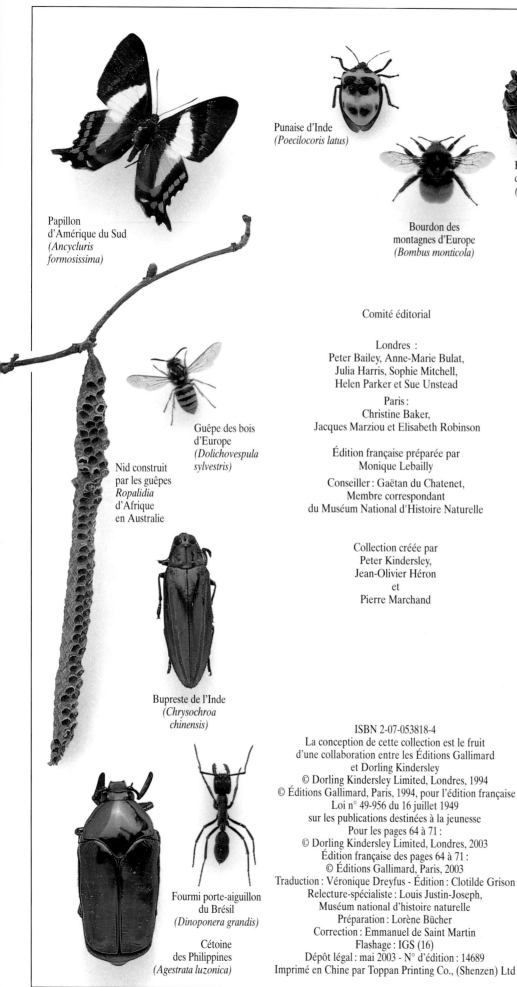

Papillon
d'Amérique du Sud
(*Ancycluris
formosissima*)

Punaise d'Inde
(*Poecilocoris latus*)

Bourdon des
montagnes d'Europe
(*Bombus monticola*)

Bousier
d'Amérique centrale
(*Phanaeus demon*)

Bousier
d'Amérique du Sud
(*Coprophanaeus
lancifer*)

Guêpe des bois
d'Europe
(*Dolichovespula
sylvestris*)

Nid construit
par les guêpes
*Ropalidia*
d'Afrique
en Australie

Longicorne
d'Afrique orientale
(*Sternotomis bohemanni*)

Manticore
d'Afrique orientale
(*Manticora scabra*)

Bupreste de l'Inde
(*Chrysochroa
chinensis*)

Fourmi porte-aiguillon
du Brésil
(*Dinoponera grandis*)

Cétoine
des Philippines
(*Agestrata luzonica*)

Noctuelle d'Europe
(*Eremobia ochroleuca*)

Cétoine du
Nord de l'Australie
(*Trichaulax macleayi*)

Comité éditorial

Londres :
Peter Bailey, Anne-Marie Bulat,
Julia Harris, Sophie Mitchell,
Helen Parker et Sue Unstead
Paris :
Christine Baker,
Jacques Marziou et Elisabeth Robinson

Édition française préparée par
Monique Lebailly

Conseiller : Gaëtan du Chatenet,
Membre correspondant
du Muséum National d'Histoire Naturelle

Collection créée par
Peter Kindersley,
Jean-Olivier Héron
et
Pierre Marchand

ISBN 2-07-053818-4
La conception de cette collection est le fruit
d'une collaboration entre les Éditions Gallimard
et Dorling Kindersley
© Dorling Kindersley Limited, Londres, 1994
© Éditions Gallimard, Paris, 1994, pour l'édition française
Loi n° 49-956 du 16 juillet 1949
sur les publications destinées à la jeunesse
Pour les pages 64 à 71 :
© Dorling Kindersley Limited, Londres, 2003
Édition française des pages 64 à 71 :
© Éditions Gallimard, Paris, 2003
Traduction : Véronique Dreyfus - Édition : Clotilde Grison
Relecture-spécialiste : Louis Justin-Joseph,
Muséum national d'histoire naturelle
Préparation : Lorène Bücher
Correction : Emmanuel de Saint Martin
Flashage : IGS (16)
Dépôt légal : mai 2003 - N° d'édition : 14689
Imprimé en Chine par Toppan Printing Co., (Shenzen) Ltd

# SOMMAIRE

Larve de scarabée
de Nouvelle-Guinée
(*Oryctes centaurus*)

# L'ANATOMIE DE L'INSECTE

Les insectes possèdent un squelette externe, composé en grande partie d'une substance dure, cornée, la chitine. Cet « exosquelette » recouvre non seulement le corps, les pattes, les yeux et les antennes, mais aussi les tubes respiratoires internes, les trachées. Pour parvenir à sa taille adulte, l'insecte doit se débarrasser à plusieurs reprises, au cours de sa vie, de cette carapace, qui n'est pas extensible une fois durcie. C'est ce que l'on appelle la mue, phase à l'issue de laquelle l'ancienne carapace tombe, découvrant une nouvelle cuticule qui mettra plusieurs heures à durcir. Beaucoup d'insectes passent par le stade de la larve ou de la chenille (pp. 24-25) qui, elles aussi, muent pour donner une pupe ou une chrysalide.

*Tarse*

*Tibia*

*Fémur*

*Griffe*

*Articulation*

*Extrémité de l'aile*

*La base de l'aile se replie en dessous.*

**AILE POSTÉRIEURE REPLIÉE**
Les ailes membraneuses, qui servent au vol (pp. 12-13), se replient au repos, pour se loger sous les élytres. L'extrémité apicale de l'aile se rabat vers l'arrière et se plie en un point déterminé du bord antérieur. La partie basale de l'aile est repliée en dessous.

**LE CORPS D'UN COLÉOPTÈRE**
Ce bupreste adulte *(Euchroma gigantea),* grossi trois fois, est originaire d'Amérique du Sud. Son corps, comme celui de la plupart des insectes, se divise en trois parties, la tête, le thorax et l'abdomen, composées, chacune, de petits segments en forme d'anneau.

**L'ABDOMEN**
Il contient la plupart des organes de l'insecte : système digestif, cœur et organes sexuels. Comme les autres parties du corps, il est protégé par l'exosquelette rigide, ou cuticule, qui est surtout composé de chitine cornée. Le corps est flexible aux articultations et entièrement recouvert d'une très mince couche de cire qui empêche l'insecte de se déshydrater.

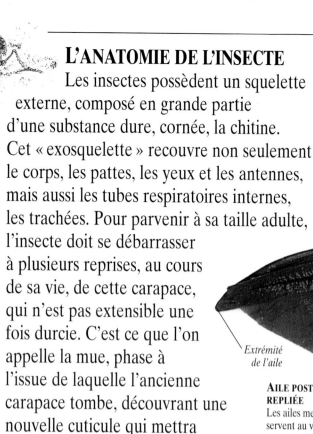

*Ganglion*

*Système nerveux*

*Œil composé*

*L'intestin antérieur morcelle la nourriture.*

*Les sacs aériens fournissent aux muscles du thorax l'air dont ils ont besoin pour le vol.*

*L'intestin moyen digère la nourriture.*

*L'excès d'humidité est ôté des restes alimentaires dans l'intestin postérieur.*

*L'air entre dans les tubes respiratoires par les stigmates.*

*Aiguillon*

*Les résidus de nourriture sont évacués par l'anus.*

*Réservoir de poison pour l'aiguillon*

**ANATOMIE INTERNE**
Cette illustration montre l'anatomie interne d'une abeille ouvrière. Le long de la partie centrale, le tube digestif (en jaune) est divisé en intestins antérieur, moyen et postérieur. L'appareil respiratoire (en blanc) comprend un réseau de vaisseaux ramifiés par lesquels l'air venu des stigmates se répand dans tout le corps. Les deux grands sacs aériens de l'abdomen fournissent en air les muscles du thorax. Le cœur de l'abeille est un long tube mince qui pompe le liquide sanguin dans la partie supérieure du corps. Il n'y a pas d'autres vaisseaux sanguins et le sang baigne tous les organes. Le système nerveux simple de l'insecte (en bleu) est formé par un seul nerf qui comporte, sur toute sa longueur, des concentrations de cellules nerveuses, appelées ganglions. Celui qui est dans la tête constitue le cerveau de l'insecte. Les organes sexuels femelles et le réservoir de poison qui aboutit à l'aiguillon sont colorés en vert.

**AILE ANTÉRIEURE**
Chez les coléoptères, les deux ailes antérieures, épaisses et cornées, sont appelées élytres. Elles recouvrent et protègent les ailes membraneuses et sont souvent brillamment colorées (pp. 30-31). Quand l'insecte vole, il les soulève.

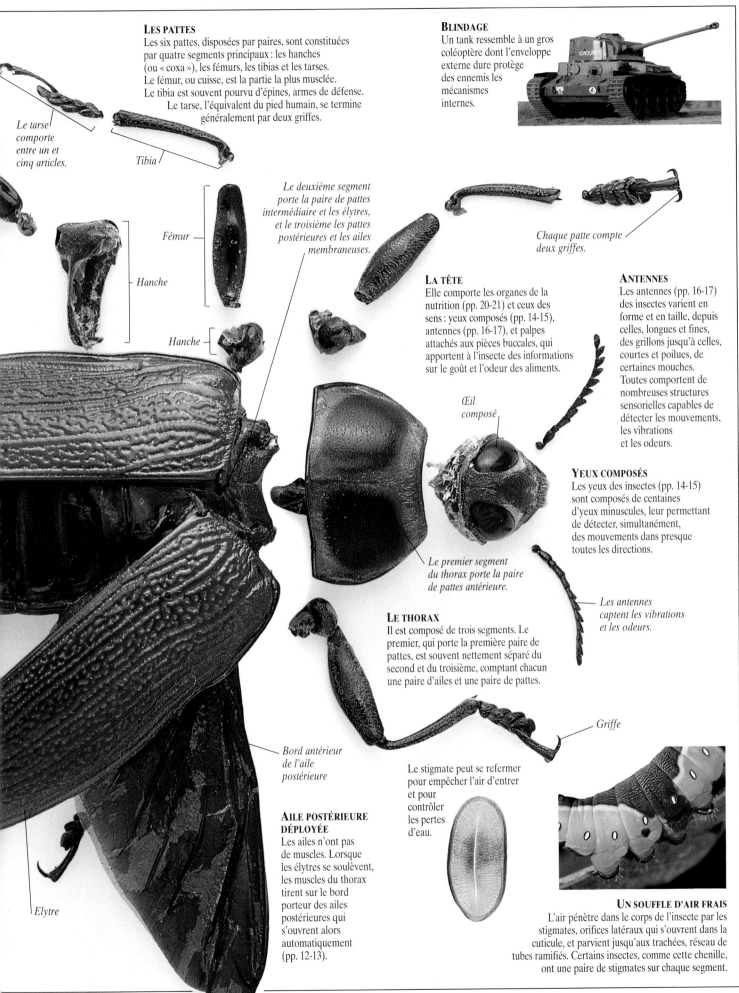

**LES PATTES**

Les six pattes, disposées par paires, sont constituées par quatre segments principaux : les hanches (ou « coxa »), les fémurs, les tibias et les tarses. Le fémur, ou cuisse, est la partie la plus musclée. Le tibia est souvent pourvu d'épines, armes de défense. Le tarse, l'équivalent du pied humain, se termine généralement par deux griffes.

*Le tarse comporte entre un et cinq articles.*

*Tibia*

**BLINDAGE**

Un tank ressemble à un gros coléoptère dont l'enveloppe externe dure protège des ennemis les mécanismes internes.

*Le deuxième segment porte la paire de pattes intermédiaire et les élytres, et le troisième les pattes postérieures et les ailes membraneuses.*

*Fémur*

*Hanche*

*Hanche*

*Chaque patte compte deux griffes.*

**LA TÊTE**

Elle comporte les organes de la nutrition (pp. 20-21) et ceux des sens : yeux composés (pp. 14-15), antennes (pp. 16-17), et palpes attachés aux pièces buccales, qui apportent à l'insecte des informations sur le goût et l'odeur des aliments.

**ANTENNES**

Les antennes (pp. 16-17) des insectes varient en forme et en taille, depuis celles, longues et fines, des grillons jusqu'à celles, courtes et poilues, de certaines mouches. Toutes comportent de nombreuses structures sensorielles capables de détecter les mouvements, les vibrations et les odeurs.

*Œil composé*

**YEUX COMPOSÉS**

Les yeux des insectes (pp. 14-15) sont composés de centaines d'yeux minuscules, leur permettant de détecter, simultanément, des mouvements dans presque toutes les directions.

*Le premier segment du thorax porte la paire de pattes antérieure.*

*Les antennes captent les vibrations et les odeurs.*

**LE THORAX**

Il est composé de trois segments. Le premier, qui porte la première paire de pattes, est souvent nettement séparé du second et du troisième, comptant chacun une paire d'ailes et une paire de pattes.

*Griffe*

*Bord antérieur de l'aile postérieure*

**AILE POSTÉRIEURE DÉPLOYÉE**

Les ailes n'ont pas de muscles. Lorsque les élytres se soulèvent, les muscles du thorax tirent sur le bord porteur des ailes postérieures qui s'ouvrent alors automatiquement (pp. 12-13).

Le stigmate peut se refermer pour empêcher l'air d'entrer et pour contrôler les pertes d'eau.

*Elytre*

**UN SOUFFLE D'AIR FRAIS**

L'air pénètre dans le corps de l'insecte par les stigmates, orifices latéraux qui s'ouvrent dans la cuticule, et parvient jusqu'aux trachées, réseau de tubes ramifiés. Certains insectes, comme cette chenille, ont une paire de stigmates sur chaque segment.

Jardinière

Coccinelle

# QU'EST-CE QU'UN INSECTE ?

Des déserts les plus chauds aux lacs glacés, dans l'air, sur terre et même sous l'eau, les insectes se sont adaptés aux climats les plus extrêmes et aux milieux les plus ingrats. Possédant, pour la plupart, des ailes qui leur confèrent une grande mobilité, c'est surtout grâce à leur petite taille et à leurs faibles besoins en nourriture qu'ils ont pu coloniser notre planète jusque dans ses recoins les plus inaccessibles. Dépourvus de colonne vertébrale comme tous les invertébrés, ils possèdent des pattes articulées et un exosquelette dur (pp. 6-7), qui leur vaut d'être classés dans le groupe des Arthropodes. Mais dans ce groupe, seuls les insectes possèdent six pattes.

On connaît actuellement plus d'un million d'espèces, rassemblées en ordres et en familles, selon leurs caractéristiques communes. Mais on découvre chaque jour de nouvelles espèces.

**LES SCARABÉES**
Les scarabées (pp. 30-31) appartiennent à l'ordre des Coléoptères, du grec « étui » et « aile ». Leurs deux ailes antérieures, ou élytres, sont cornées et se rejoignent sur le milieu du dos, formant un étui qui protège ainsi le corps et les ailes postérieures, plus fragiles.

Ephémère adulte

**LES ÉPHÉMÈRES**
L'ordre des Ephéméroptères se caractérise par la durée de vie extrêmement brève – quelques heures à peine – des adultes. Les larves, elles, ont une vie aquatique de plusieurs mois.

Mouche

**LES MOUCHES**
Parce qu'elles ne possèdent, contrairement aux autres insectes, qu'une seule paire d'ailes, les mouches (pp. 32-33) sont classées dans l'ordre des Diptères, « deux ailes ». Leurs ailes postérieures se sont modifiées en minuscules organes stabilisateurs, appelés balanciers (p. 12).

Des ailes antérieures plus grandes que les ailes postérieures

Blatte

Guêpe

Abeille

Fourmi

**LES GUÊPES, LES FOURMIS ET LES ABEILLES**
Les guêpes, les fourmis et les abeilles (pp. 38-39) appartiennent à l'ordre des Hyménoptères, « ailes membraneuses ». Les mâles présentent une particularité peu ordinaire : ils peuvent naître d'œufs non fécondés. Beaucoup de femelles de ce groupe sont armées d'un dard.

Libellule

**LES BLATTES**
Ces insectes plats (p. 41) ont des ailes antérieures coriaces qui se superposent partiellement. Répliques miniatures des adultes, les jeunes sont dépourvus d'ailes, ou aptères.

Pièces buccales capables de percer et de sucer

Ailes dures à la base, molles à l'extrémité

Punaise

Phasme

**LES PUNAISES**
Les vraies punaises (pp. 36-37) appartiennent à l'ordre des Hémiptères, « moitié d'ailes ». Les punaises plus grandes ont les ailes antérieures dures à la base mais molles à l'extrémité.

Perce-oreille

**LES LIBELLULES ET LES DEMOISELLES**
Dotées de grandes mâchoires, ou mandibules, particulièrement adaptées à la capture des mouches (pp. 41), elles appartiennent à l'ordre des Odonates, du grec « dent ». Leurs nymphes vivent dans l'eau (pp. 26-27).

**LES PERCE-OREILLES**
Ces insectes appartiennent à l'ordre des Dermaptères, « ailes en peau ». Leurs ailes postérieures sont curieusement repliées sous des ailes antérieures très courtes.

Ailes repliées

Papillon

**LES PAPILLONS ET LES PHALÈNES**
Ces insectes (pp. 34-35) appartiennent à l'ordre des Lépidoptères, « ailes écailleuses ». De minuscules écailles (en réalité des poils aplatis) leur recouvrent le corps et les ailes, et leur prêtent ces belles couleurs iridescentes.

Phalène

**LES GRILLONS ET LES SAUTERELLES**
Appartenant à l'ordre des Orthoptères, « ailes droites », les grillons et les sauterelles ont des pattes postérieures très puissantes dont ils se servent pour sauter et pour... chanter.

Sauterelle

**LES PHASMES**
Ces insectes longs et minces ressemblent à s'y méprendre aux brindilles et aux feuilles dont ils se nourrissent (p. 45).

## INSECTE OU NON ?

On confond souvent les insectes et les autres arthropodes. Or ces derniers – araignées ou scorpions – par exemple, ont quatre paires de pattes et non trois comme les insectes ; de plus leur tête et leur thorax, soudés, ne forment qu'une seule structure. Ils n'ont ni ailes ni antennes et possèdent de petits yeux simples, tandis que les insectes ont de grands yeux composés. Les crabes, les crevettes, les cloportes et les myriapodes comptent tous beaucoup plus de pattes articulées que les insectes. Un ver de terre, au contraire, n'a pas du tout de pattes et l'on ne distingue pas sa tête. Quant aux limaces, escargots et autres étoiles de mer, ils possèdent une structure très différente, sans aucun segment.

### LES VERTÉBRÉS
Ce singe est un vertébré, c'est-à-dire qu'il possède une colonne vertébrale, tout comme les oiseaux, les poissons, les grenouilles (amphibiens), les lézards (reptiles) et les mammifères. Tous respirent avec des poumons ou des ouïes, ont un cœur, et aucun ne possède six jambes ni un corps segmenté.

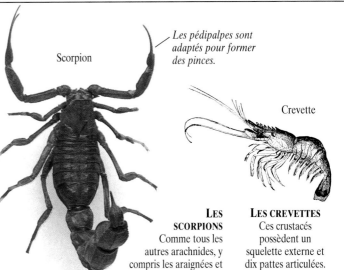

Scorpion

*Les pédipalpes sont adaptés pour former des pinces.*

Crevette

### LES SCORPIONS
Comme tous les autres arachnides, y compris les araignées et les tiques, les scorpions ont quatre paires de pattes. Ce scorpion d'Afrique du Nord attrape sa proie avec de grosses pinces, ou pédipalpes, une paire de membres modifiés.

### LES CREVETTES
Ces crustacés possèdent un squelette externe et dix pattes articulées. Huit sont adaptées à la marche, les deux autres à la nutrition et à la défense.

Mille-pattes

*Tête*

*Segments en forme d'anneau*

*Chaque segment comporte quatre pattes.*

### LES VERS DE TERRE
Tous sont formés de nombreux segments en forme d'anneau. Contrairement aux insectes, ils n'ont ni pattes ni parties dures. Certaines espèces géantes peuvent mesurer plus de 2 m de long.

Ver de terre

Cloporte

### LES CLOPORTES
Apparentés aux puces de mer, les cloportes ont besoin d'eau. Ils vivent dans des endroits froids et humides, sous des pierres ou des troncs d'arbres, et se nourrissent de bois et de feuilles en décomposition. En cas de danger, ils s'enroulent en boule.

### LES PUCES DE MER
On les distingue des insectes grâce à leur nombre de pattes : dix au lieu de six. Elles vivent dans le sable humide des plages du monde entier. Quand on les dérange, elles font des bonds de très grande amplitude grâce à leurs deux paires de pattes antérieures.

### LES MILLE-PATTES
A l'instar des insectes, la tête des mille-pattes, ou myriapodes, porte une paire d'antennes. A l'inverse, leur corps n'est pas divisé en trois parties séparées (pp. 6-7), mais en nombreux segments, chacun muni de deux paires de pattes.

*Antenne*

### LES SCOLOPENDRES
Contrairement aux mille-pattes, ces myriapodes n'ont qu'une seule paire de pattes à chaque segment. Ils passent leur vie sur le sol où ils se nourrissent de petits animaux, et capturent leur proie avec leurs « griffes empoisonnées » : une paire de pattes antérieures pourvues de crochets. Leur morsure peut être douloureuse.

*Des « griffes empoisonnées » pour attraper les proies*

### LES ARAIGNÉES
Cette mygale du Sri Lanka est l'une des plus grandes araignées du monde. Placée à l'avant de ses huit pattes, une paire d'appendices, les pédipalpes, lui servent d'antennes. Grâce à ses grandes mâchoires, elle injecte du poison dans sa proie pour, comme toutes les araignées, sucer sa nourriture sous forme liquide. Son gros abdomen contient deux paires de poumons qui doivent rester humides pour absorber l'air.

*Les pédipalpes servent d'antennes.*

*Mandibules*

*Pattes*

Scolopendre

Mygale

# IL Y A 300 MILLIONS D'ANNÉES VOLAIENT LES PREMIERS INSECTES

Les premiers insectes volants habitaient les forêts carbonifères il y a plus de 300 millions d'années. Les plus anciens fossiles retrouvés témoignent pour certaines espèces, comme les libellules et les blattes (pp. 40-41), d'une étonnante similitude avec leurs descendants actuels. Mais la plupart représentent des ordres aujourd'hui disparus. Certains, dotés de voilures de 70 cm d'envergure et incapables de replier leurs ailes, ont probablement péri sous les assauts des prédateurs. L'étude des fossiles ne nous permet pas encore d'établir avec certitude l'origine des insectes, mais les rares spécimens qui nous sont parvenus nous renseignent sur leur évolution.

### UN BIJOU
Depuis des siècles, l'ambre est considéré comme une pierre précieuse. Ce morceau d'ambre de la Baltique, coupé et poli pour faire un pendentif, contient trois différentes espèces de mouches ainsi qu'un faucheur.

### MONTRE TES COULEURS
Les pigments des écailles de cette aile de papillon de nuit ont altéré le processus de fossilisation, si bien que le dessin et les couleurs ont été préservés pendant 400 millions d'années.

Calcaire fossile contenant une aile de papillon de nuit

### DES ANCÊTRES VIVANTS ?
Le péripate représente peut-être un stade intermédiaire entre le ver et l'insecte. Du premier, il a le corps mou avec ses segments en forme d'anneau; du second, il a les pattes griffues, le cœur et le système respiratoire.

### ELLES SAUTENT
Les podures primitives, aptères, vivent dans les lieux humides du monde entier. Beaucoup d'entre elles ont un curieux organe de saut, en forme de fourche, replié sous leur queue. Ces insectes, que l'on voit ici sur une patelle morte, se nourrissent de bactéries.

*Aile*

*Pattes fragiles*

Halicte actuelle (du genre *Trigona*)

## COMMENT S'EST FORMÉE L'AMBRE
L'ambre est la résine fossile des pins qui florissaient sur Terre il y a environ 40 millions d'années. Lorsque la résine suintait des fentes des troncs, des insectes attirés par son odeur sucrée venaient s'y engluer. À la longue, la résine, avec ses insectes piégés, durcissait et se détachait des troncs. Des millions d'années plus tard, elle fut entraînée dans la mer.

### LES PREMIÈRES TIPULES
Il y a environ 35 millions d'années, cette tipule fut emprisonnée dans un sédiment boueux au fond d'un lac ou d'une mare de l'actuelle région du Colorado, aux Etats-Unis. Le sédiment était si fin que lorsqu'il se pétrifia, il garda les détails des ailes et des pattes. Ce spécimen fossilisé ressemble tout à fait à la tipule actuelle. Un faible vol à la dérive et de grandes pattes grêles étaient sans doute d'importants facteurs d'adaptation.

Tipule actuelle

### ABEILLE FOSSILISÉE
Ce morceau de copal de Zanzibar (île d'Afrique orientale) peut avoir entre mille ans et un million d'années. L'agrandissement permet de distinguer une petite halicte, qui ressemble énormément au spécimen de l'espèce actuelle, ci-dessus.

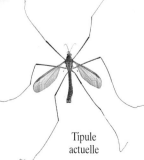

### FINIR ENGLUÉ
Attirés par la résine de pin qui suinte de ce tronc, ces insectes volants et rampants sont piégés. Des scènes semblables se déroulèrent il y a plus de 40 millions d'années.

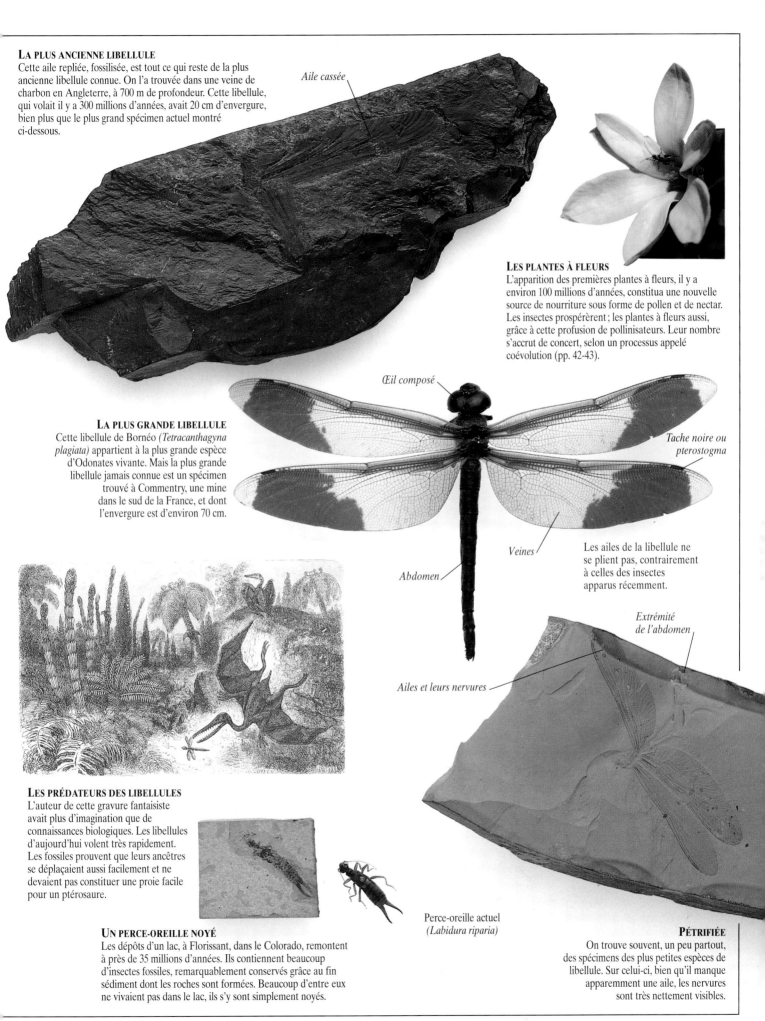

## LA PLUS ANCIENNE LIBELLULE

Cette aile repliée, fossilisée, est tout ce qui reste de la plus ancienne libellule connue. On l'a trouvée dans une veine de charbon en Angleterre, à 700 m de profondeur. Cette libellule, qui volait il y a 300 millions d'années, avait 20 cm d'envergure, bien plus que le plus grand spécimen actuel montré ci-dessous.

*Aile cassée*

## LES PLANTES À FLEURS

L'apparition des premières plantes à fleurs, il y a environ 100 millions d'années, constitua une nouvelle source de nourriture sous forme de pollen et de nectar. Les insectes prospérèrent ; les plantes à fleurs aussi, grâce à cette profusion de pollinisateurs. Leur nombre s'accrut de concert, selon un processus appelé coévolution (pp. 42-43).

*Œil composé*

## LA PLUS GRANDE LIBELLULE

Cette libellule de Bornéo (*Tetracanthagyna plagiata*) appartient à la plus grande espèce d'Odonates vivante. Mais la plus grande libellule jamais connue est un spécimen trouvé à Commentry, une mine dans le sud de la France, et dont l'envergure est d'environ 70 cm.

*Tache noire ou pterostogma*

*Veines*

Les ailes de la libellule ne se plient pas, contrairement à celles des insectes apparus récemment.

*Abdomen*

*Extrémité de l'abdomen*

*Ailes et leurs nervures*

## LES PRÉDATEURS DES LIBELLULES

L'auteur de cette gravure fantaisiste avait plus d'imagination que de connaissances biologiques. Les libellules d'aujourd'hui volent très rapidement. Les fossiles prouvent que leurs ancêtres se déplaçaient aussi facilement et ne devaient pas constituer une proie facile pour un ptérosaure.

Perce-oreille actuel
(*Labidura riparia*)

## UN PERCE-OREILLE NOYÉ

Les dépôts d'un lac, à Florissant, dans le Colorado, remontent à près de 35 millions d'années. Ils contiennent beaucoup d'insectes fossiles, remarquablement conservés grâce au fin sédiment dont les roches sont formées. Beaucoup d'entre eux ne vivaient pas dans le lac, ils s'y sont simplement noyés.

## PÉTRIFIÉE

On trouve souvent, un peu partout, des spécimens des plus petites espèces de libellule. Sur celui-ci, bien qu'il manque apparemment une aile, les nervures sont très nettement visibles.

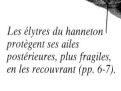

## DÉCOLLAGE... PLAN DE VOL... ATTERRISSAGE

On ignore tout de l'origine des ailes, mais on sait que les insectes furent sur Terre les premiers à voler. Ils purent ainsi fuir leurs prédateurs et conquérir de nouvelles régions de la planète. Plus tard, se parant de couleurs, dégageant des parfums et émettant même des sons, les ailes deviendront un élément important de la parade amoureuse. Les libellules actuelles, héritières des premiers insectes volants, possèdent deux paires d'ailes indépendantes qui ne se replient pas : elles n'ont guère évolué. Les espèces récentes, en revanche, ont élaboré les mécanismes les plus variés : les ailes antérieures et postérieures des papillons et des guêpes sont fixées les unes aux autres, offrant de la sorte deux surfaces de vol au lieu de quatre ; les coléoptères déploient, pour leur part, leurs ailes antérieures pour utiliser les courants ascendants et volent avec leurs ailes postérieures, tandis que les mouches n'ont plus, quant à elles, qu'une seule paire d'ailes.

Aile de moustique

*Nervures frangées*

### DES AILES FRANGÉES
Les petits insectes ont beaucoup de mal à voler. Sur l'aile de ce moustique, la frange des écailles agit probablement comme les surfaces portantes d'une aile d'avion et réduit la traînée descendante. Chez les très petits insectes, les franges sont souvent plus longues que la largeur de leurs ailes.

### DES AILES FROISSÉES
Alors que les ailes d'une cigale adulte sont plus grandes que son corps (p. 40), celles d'un jeune qui vient d'émerger de sa dépouille larvaire sont petites, molles et froissées. Le sang est alors pompé dans les nervures, qui se dilatent puis durcissent : les ailes se redressent, prêtes pour le vol.

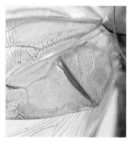

### LE CHANT DES GRILLONS
Les deux ailes antérieures des grillons mâles sont spécialement adaptées pour produire des sons. A la base de l'aile antérieure gauche, une lime rigide frotte contre une partie de l'aile droite qui ressemble à un tambour, le tympan. Celui-ci amplifie le son afin que la femelle, à plusieurs mètres de là, entende le chant grâce à son oreille située sur son fémur.

*Antenne*

*Œil*

### 1 AVANT LE DÉCOLLAGE
Tout comme un avion, un grand insecte, tel ce hanneton commun (*Melolontha melolontha*), doit chauffer ses moteurs avant le vol. On peut le voir, par exemple, dilater et contracter vigoureusement son abdomen à la façon d'une pompe. De même, les papillons de nuit font vibrer rapidement leurs ailes avant de décoller pour échauffer leurs muscles.

*Les antennes se déploient pour capter les courants aériens.*

*Avant l'envol, les griffes des pattes du hanneton s'accrochent à la plante.*

*Les élytres commencent à s'ouvrir.*

*Ailes postérieures repliées sous les élytres*

### 2 DÉVERROUILLAGE DES AILES
Les étuis cornés des ailes antérieures se séparent lorsque le hanneton se prépare à décoller du haut de cette plante, pendant que les antennes se déploient pour capter et contrôler les courants aériens.

*Les élytres du hanneton protègent ses ailes postérieures, plus fragiles, en les recouvrant (pp. 6-7).*

*Abdomen*

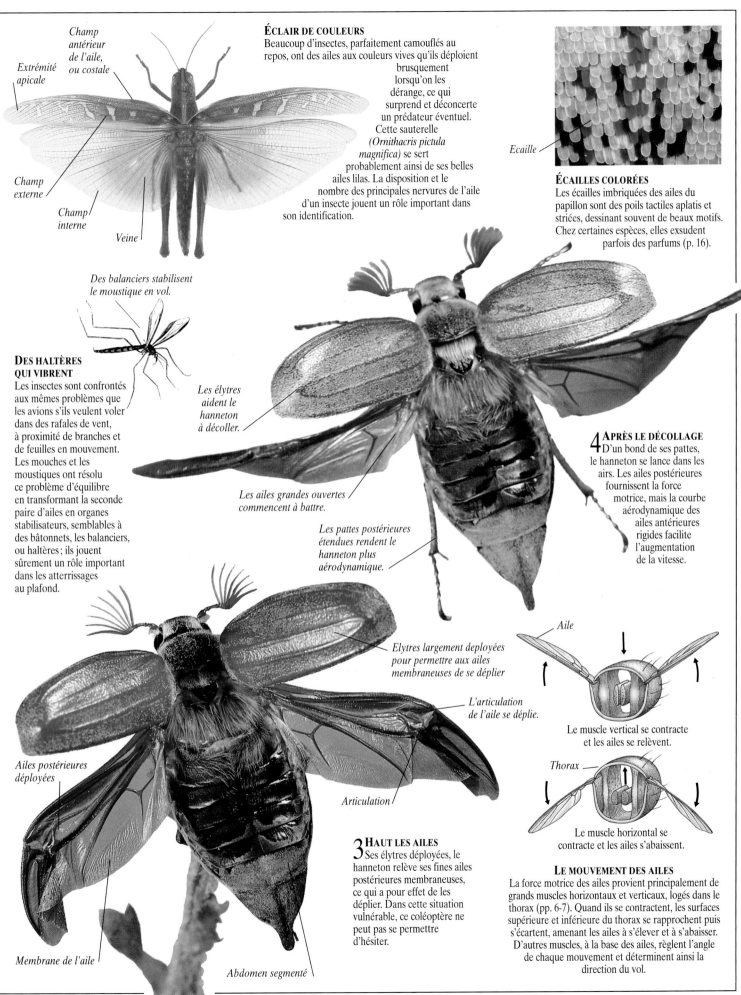

**ÉCLAIR DE COULEURS**
Beaucoup d'insectes, parfaitement camouflés au repos, ont des ailes aux couleurs vives qu'ils déploient brusquement lorsqu'on les dérange, ce qui surprend et déconcerte un prédateur éventuel. Cette sauterelle (*Ornithacris pictula magnifica*) se sert probablement ainsi de ses belles ailes lilas. La disposition et le nombre des principales nervures de l'aile d'un insecte jouent un rôle important dans son identification.

*Extrémité apicale*

*Champ antérieur de l'aile, ou costale*

*Champ externe*

*Champ interne*

*Veine*

*Ecaille*

**ÉCAILLES COLORÉES**
Les écailles imbriquées des ailes du papillon sont des poils tactiles aplatis et striées, dessinant souvent de beaux motifs. Chez certaines espèces, elles exsudent parfois des parfums (p. 16).

*Des balanciers stabilisent le moustique en vol.*

**DES HALTÈRES QUI VIBRENT**
Les insectes sont confrontés aux mêmes problèmes que les avions s'ils veulent voler dans des rafales de vent, à proximité de branches et de feuilles en mouvement. Les mouches et les moustiques ont résolu ce problème d'équilibre en transformant la seconde paire d'ailes en organes stabilisateurs, semblables à des bâtonnets, les balanciers, ou haltères ; ils jouent sûrement un rôle important dans les atterrissages au plafond.

*Les élytres aident le hanneton à décoller.*

*Les ailes grandes ouvertes commencent à battre.*

*Les pattes postérieures étendues rendent le hanneton plus aérodynamique.*

**4 APRÈS LE DÉCOLLAGE**
D'un bond de ses pattes, le hanneton se lance dans les airs. Les ailes postérieures fournissent la force motrice, mais la courbe aérodynamique des ailes antérieures rigides facilite l'augmentation de la vitesse.

*Elytres largement déployées pour permettre aux ailes membraneuses de se déplier*

*L'articulation de l'aile se déplie.*

*Articulation*

*Ailes postérieures déployées*

**3 HAUT LES AILES**
Ses élytres déployées, le hanneton relève ses fines ailes postérieures membraneuses, ce qui a pour effet de les déplier. Dans cette situation vulnérable, ce coléoptère ne peut pas se permettre d'hésiter.

*Membrane de l'aile*

*Abdomen segmenté*

*Aile*

Le muscle vertical se contracte et les ailes se relèvent.

*Thorax*

Le muscle horizontal se contracte et les ailes s'abaissent.

**LE MOUVEMENT DES AILES**
La force motrice des ailes provient principalement de grands muscles horizontaux et verticaux, logés dans le thorax (pp. 6-7). Quand ils se contractent, les surfaces supérieure et inférieure du thorax se rapprochent puis s'écartent, amenant les ailes à s'élever et à s'abaisser. D'autres muscles, à la base des ailes, règlent l'angle de chaque mouvement et déterminent ainsi la direction du vol.

13

# VOIENT-ILS LA VIE EN NOIR ET BLANC ?

Vibrations, sons, odeurs : dans bien des domaines le registre de perception des insectes dépasse en étendue et en finesse celui de l'homme. La vue demeure un de leurs sens les plus méconnus : nous ignorons quelle image les insectes captent du monde. Nous savons qu'une abeille peut voir quelqu'un bouger à plusieurs mètres, mais nous ignorons comment elle identifie sa forme ou sa couleur. Nous savons également que certains coléoptères sont attirés par la lumière ultraviolette et la couleur jaune, et restent insensibles au bleu et au rouge. Mais nous ne pouvons nous prononcer sur leur perception du noir et du blanc. Quant aux libellules, on a constaté qu'elles attrapaient les moustiques en vol au crépuscule, mais on ne sait pas si elles les repèrent au bruit ou au mouvement. Face à des situations aussi différentes, les insectes ont élaboré des solutions variées et l'étude de leur perception sensorielle pose encore de nombreuses questions.

**AUTOUR D'UNE FLAMME**
On pense que les insectes nocturnes se dirigent la nuit en gardant constant l'angle que fait la lumière de la lune avec leurs yeux. Ils agissent de même avec une lumière artificielle : ils volent tout droit vers la lampe puis tournent inlassablement autour d'elle.

*Trois yeux simples ou ocelles*

Lumière normale

Lumière ultraviolette

**LA BEAUTÉ EST DANS L'ŒIL DE CELUI QUI REGARDE**
Les yeux de nombreux insectes enregistrent des choses que les êtres humains ne voient pas. On a photographié ces deux papillons, des citrons, en lumière naturelle et en lumière ultraviolette. Il en ressort que les insectes ne voient peut-être pas un papillon jaune avec quatre taches orange, mais un insecte gris avec deux grandes taches d'un gris plus foncé. Par ailleurs, beaucoup de fleurs pollinisées d'un jaune pur réfléchissent l'ultraviolet, mais possèdent à la base des pétales des taches n'ayant pas cette propriété. Pour l'abeille, attirée par le nectar de ces fleurs (pp. 42-43), ces taches serviront à localiser les nectaires.

*Les poils sensoriels de sa tête renseignent la guêpe sur son environnement.*

*Les antennes articulées permettent de distinguer les odeurs et d'évaluer la taille des cellules du nid.*

**AVERTISSEMENT**
La tête d'un insecte porte généralement une paire de grands yeux composés, plus trois yeux simples au sommet. Les yeux composés de cette guêpe (*Vespa vulgaris*) descendent bas sur les joues, vers les mandibules, mais n'occupent qu'une partie de la face. Les motifs noir et jaune indiquent que cet insecte est pourvu d'un dangereux aiguillon.

*Mandibules broyeuses servant à découper la nourriture, à creuser et à construire le nid*

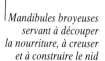

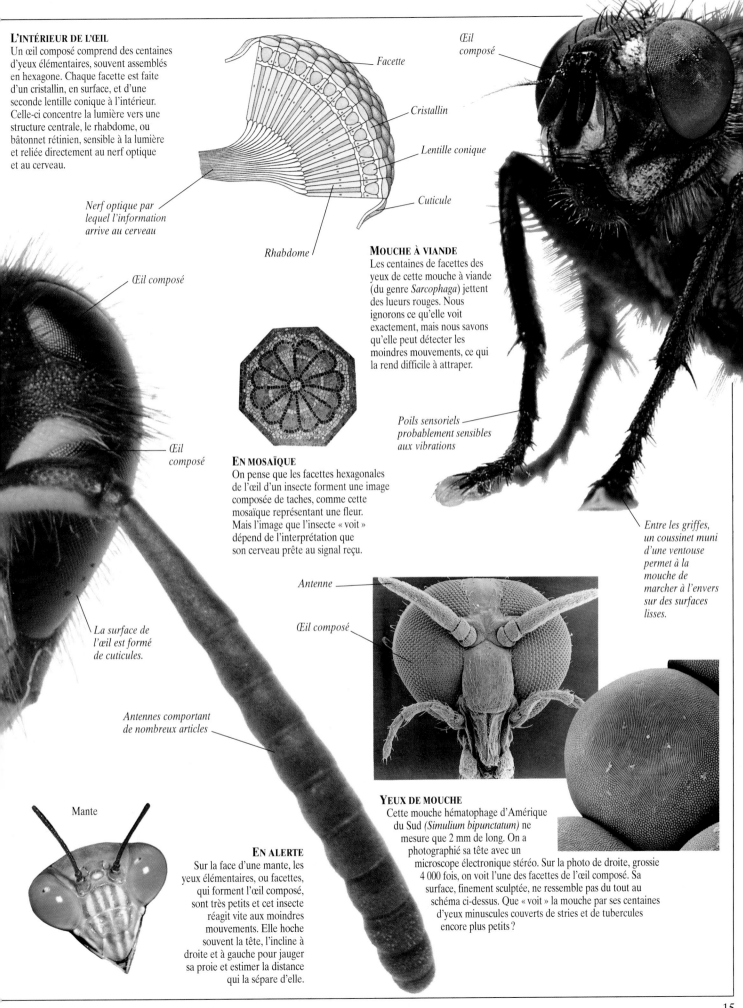

## L'INTÉRIEUR DE L'ŒIL
Un œil composé comprend des centaines d'yeux élémentaires, souvent assemblés en hexagone. Chaque facette est faite d'un cristallin, en surface, et d'une seconde lentille conique à l'intérieur. Celle-ci concentre la lumière vers une structure centrale, le rhabdome, ou bâtonnet rétinien, sensible à la lumière et reliée directement au nerf optique et au cerveau.

*Facette*

*Cristallin*

*Lentille conique*

*Cuticule*

*Nerf optique par lequel l'information arrive au cerveau*

*Rhabdome*

*Œil composé*

## MOUCHE À VIANDE
Les centaines de facettes des yeux de cette mouche à viande (du genre *Sarcophaga*) jettent des lueurs rouges. Nous ignorons ce qu'elle voit exactement, mais nous savons qu'elle peut détecter les moindres mouvements, ce qui la rend difficile à attraper.

*Œil composé*

*Œil composé*

*Poils sensoriels probablement sensibles aux vibrations*

*Entre les griffes, un coussinet muni d'une ventouse permet à la mouche de marcher à l'envers sur des surfaces lisses.*

## EN MOSAÏQUE
On pense que les facettes hexagonales de l'œil d'un insecte forment une image composée de taches, comme cette mosaïque représentant une fleur. Mais l'image que l'insecte « voit » dépend de l'interprétation que son cerveau prête au signal reçu.

*La surface de l'œil est formé de cuticules.*

*Antenne*

*Œil composé*

*Antennes comportant de nombreux articles*

Mante

## EN ALERTE
Sur la face d'une mante, les yeux élémentaires, ou facettes, qui forment l'œil composé, sont très petits et cet insecte réagit vite aux moindres mouvements. Elle hoche souvent la tête, l'incline à droite et à gauche pour jauger sa proie et estimer la distance qui la sépare d'elle.

## YEUX DE MOUCHE
Cette mouche hématophage d'Amérique du Sud *(Simulium bipunctatum)* ne mesure que 2 mm de long. On a photographié sa tête avec un microscope électronique stéréo. Sur la photo de droite, grossie 4 000 fois, on voit l'une des facettes de l'œil composé. Sa surface, finement sculptée, ne ressemble pas du tout au schéma ci-dessus. Que « voit » la mouche par ses centaines d'yeux minuscules couverts de stries et de tubercules encore plus petits ?

# ILS CAPTENT TOUTES LES ÉMISSIONS

Dans leur appréhension du monde qui les entoure, la vue constitue probablement pour les insectes un sens secondaire car, pour la plupart, le monde est une immense palette d'odeurs et de goûts. Ainsi, c'est par le toucher que les fourmis se transmettent l'odeur de leur fourmilière. Grâce aux substances chimiques qu'il exhale, le papillon de nuit femelle attire son mâle, même de loin. Et c'est cette même faculté qui permet au scolyte, un coléoptère, d'attirer ses congénères sur l'arbre qu'il a choisi. La larve de la mouche de la cerise émet, quant à elle, une substance pour empêcher une seconde femelle de venir pondre ses œufs sur le même fruit. Les insectes perçoivent également des vibrations et des sons auxquels l'homme est insensible et qu'ils captent avec leurs antennes ou qu'ils détectent grâce à des « oreilles » – situées, chez le grillon, sur les pattes antérieures et, chez la cigale ou la sauterelle, sur l'abdomen.

**ANTENNE PLUMEUSE**
Évoquant par sa forme une plume, voici l'antenne extrêmement sensible d'un papillon de nuit mâle. La tige centrale porte de nombreuses expansions latérales couvertes de minuscules poils sensoriels.

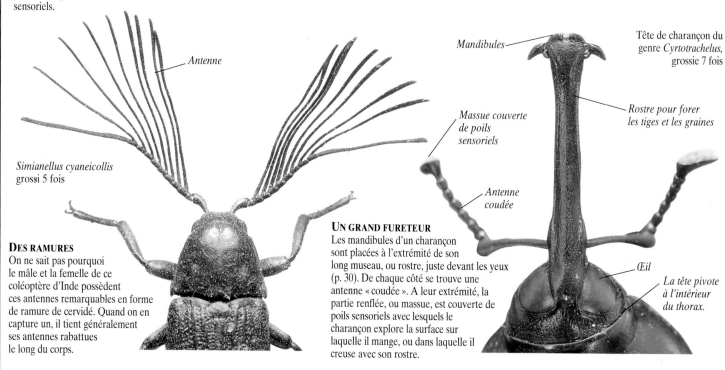

*Antenne*

*Simianellus cyaneicollis grossi 5 fois*

*Mandibules*

Tête de charançon du genre *Cyrtotrachelus*, grossie 7 fois

*Rostre pour forer les tiges et les graines*

*Massue couverte de poils sensoriels*

*Antenne coudée*

**DES RAMURES**
On ne sait pas pourquoi le mâle et la femelle de ce coléoptère d'Inde possèdent ces antennes remarquables en forme de ramure de cervidé. Quand on en capture un, il tient généralement ses antennes rabattues le long du corps.

**UN GRAND FURETEUR**
Les mandibules d'un charançon sont placées à l'extrémité de son long museau, ou rostre, juste devant les yeux (p. 30). De chaque côté se trouve une antenne « coudée ». À leur extrémité, la partie renflée, ou massue, est couverte de poils sensoriels avec lesquels le charançon explore la surface sur laquelle il mange, ou dans laquelle il creuse avec son rostre.

*Œil*

*La tête pivote à l'intérieur du thorax.*

*Articulation en rotule à la base du poil*

**FORÊT TOUFFUE**
Les poils, ou soies, du corps d'un insecte ne ressemblent que de très loin à des poils, surtout lorsqu'ils sont grossis 1 000 fois, comme sur cette photo. Chacun de ceux qui entourent l'appareil buccal de cette larve d'anthrène possède à sa base une articulation en rotule et des côtés sillonnés d'arêtes. Ils sont probablement sensibles aux vibrations.

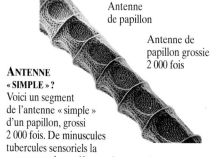

Antenne de papillon

Antenne de papillon grossie 2 000 fois

**ANTENNE « SIMPLE » ?**
Voici un segment de l'antenne « simple » d'un papillon, grossi 2 000 fois. De minuscules tubercules sensoriels la recouvrent de motifs complexes, et de minces zones de cuticule (pp. 6-7) sont pourvues de tout petits poils sensibles aux odeurs.

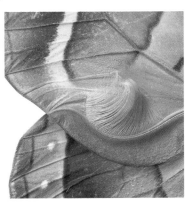

Le dessous de l'aile
et sa brosse à parfum

## DES BROSSES À PARFUM

Ce papillon mâle des forêts d'Amérique du Sud *(Anirrhea philoctetes)* a une curieuse spirale de longs poils, sur la face inférieure de l'aile antérieure, qui frôle une plaque d'écailles odorantes. L'alvéole situé à la base de chaque poil est en forme de huit, si bien que celui-ci peut se redresser – comme sur une brosse – ou reposer à plat. La « brosse » relève les écailles et disperse l'odeur pour attirer les femelles.

## UNE CANNE BLANCHE ?

Ce grillon découvert dans une grotte au Nigeria (Afrique occidentale) a, proportionnellement à son corps, les plus longues antennes jamais vues. Ces organes des sens sont probablement mieux adaptés à la détection des vibrations et des courants aériens qu'à l'identification des odeurs. Le grillon s'en sert peut-être aussi comme d'une canne blanche, pour trouver son chemin dans le noir.

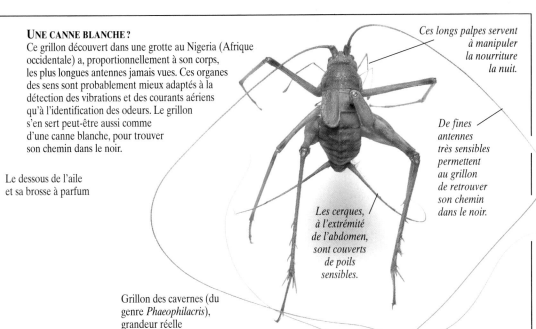

*Ces longs palpes servent à manipuler la nourriture la nuit.*

*De fines antennes très sensibles permettent au grillon de retrouver son chemin dans le noir.*

*Les cerques, à l'extrémité de l'abdomen, sont couverts de poils sensibles.*

Grillon des cavernes (du genre *Phaeophilacris*), grandeur réelle

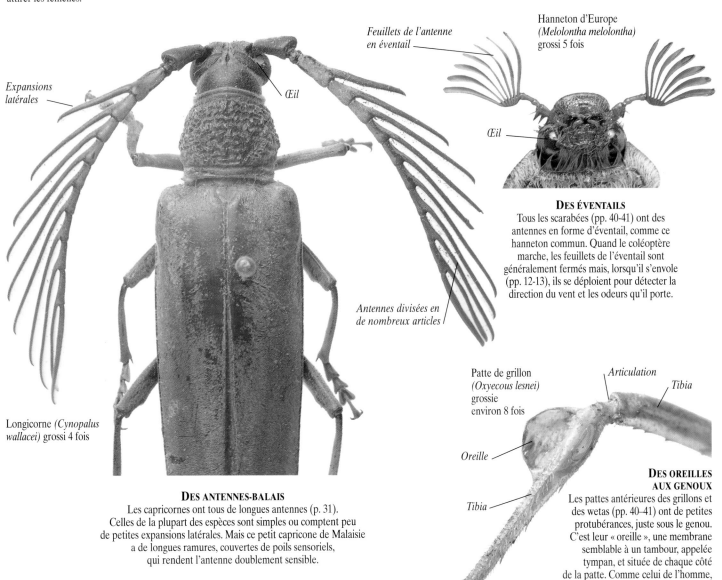

*Expansions latérales*

*Œil*

Longicorne (*Cynopalus wallacei*) grossi 4 fois

## DES ANTENNES-BALAIS

Les capricornes ont tous de longues antennes (p. 31). Celles de la plupart des espèces sont simples ou comptent peu de petites expansions latérales. Mais ce petit capricone de Malaisie a de longues ramures, couvertes de poils sensoriels, qui rendent l'antenne doublement sensible.

*Antennes divisées en de nombreux articles*

*Feuillets de l'antenne en éventail*

Hanneton d'Europe (*Melolontha melolontha*) grossi 5 fois

*Œil*

## DES ÉVENTAILS

Tous les scarabées (pp. 40-41) ont des antennes en forme d'éventail, comme ce hanneton commun. Quand le coléoptère marche, les feuillets de l'éventail sont généralement fermés mais, lorsqu'il s'envole (pp. 12-13), ils se déploient pour détecter la direction du vent et les odeurs qu'il porte.

Patte de grillon (*Oxyecous lesnei*) grossie environ 8 fois

*Articulation*

*Tibia*

*Oreille*

*Tibia*

## DES OREILLES AUX GENOUX

Les pattes antérieures des grillons et des wetas (pp. 40–41) ont de petites protubérances, juste sous le genou. C'est leur « oreille », une membrane semblable à un tambour, appelée tympan, et située de chaque côté de la patte. Comme celui de l'homme, ce tympan est très sensible aux vibrations sonores. Chez de nombreuses espèces, il est interne.

# JEUX DE PATTES, JEUX D'ÉPATE

Marcher, courir, sauter sont les fonctions qui incombent communément aux pattes. Mais les insectes leur ont trouvé bien d'autres usages. Les abeilles (pp. 58-59) ont aux pattes de petites brosses et de minuscules paniers pour recueillir et ramener le pollen (pp. 42-43). Les sauterelles « chantent » en frottant une petite lime, située sur leurs pattes postérieures, contre le bord de leurs ailes antérieures. Les grillons ont des oreilles aux genoux et beaucoup d'insectes utilisent leurs pattes, modifiées, pour se battre ou pour tenir leur partenaire sexuel pendant l'accouplement. Celles des insectes aquatiques (pp. 48-49) sont le plus souvent aplaties, avec de longs poils, et fonctionnent comme des rames ou des pagaies, mais certaines, à la manière d'échasses, permettent à leur propriétaire de marcher à la surface de l'eau. Si tous les insectes ont six pattes articulées qui comprennent quatre parties principales (hanche, fémur, tibia et tarse), certains possèdent, entre leurs deux griffes terminales, un coussin charnu qui leur permet d'adhérer aux surfaces lisses.

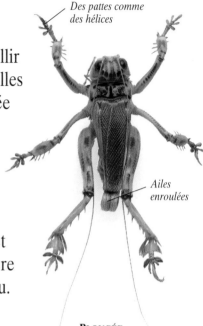

*Des pattes comme des hélices*

*Ailes enroulées*

## POUR FAIRE SA TOILETTE

*Œil*

*Pelote adhésive*

Les mouches sont couvertes de poils qu'il leur faut nettoyer et brosser régulièrement pour pouvoir voler. Leurs pattes sont pourvues d'un coussinet spécial, entre les griffes, qui fonctionne comme une pelote adhésive molle : elles peuvent ainsi marcher la tête en bas sur des surfaces lisses.

## PLONGÉE IMMÉDIATE

Les curieuses pattes, en forme d'hélices, de ce grillon du désert *(Schizodactylus monstrosus)* lui permettent de creuser un trou dans le sable et de disparaître en quelques secondes. Les extrémités de ses ailes sont enroulées comme un ressort, pour ne pas gêner la manœuvre.

*Ailes postérieures rabattues sur le corps*

*Pattes antérieures étendues, prêtes à atterrir*

*Ailes antérieures recourbées pour ramasser l'air*

### 1 ATTERRISSAGE EN DOUCEUR
Le criquet migrateur *(Schistocerca gregaria)* a les pattes largement étendues, les ailes postérieures rabattues et les antérieures recourbées pour retenir le maximum d'air. Ce qui lui permet de ralentir et de se poser doucement sur le sol, à l'image des oiseaux et des avions dont les ailes changent de position au moment de l'atterrissage. La forme, la coloration et le comportement des criquets changent de façon frappante lorsqu'ils se regroupent en immenses rassemblements. D'inoffensifs, ils deviennent alors de redoutables destructeurs de récoltes.

### CHRONOPHOTOGRAPHIE
Comme le montre cette série de photos du Britannique Eadweard James Muybridge (1830-1903), les êtres humains peuvent enchaîner des sauts d'un seul mouvement fluide. Désavantagé par une musculature et des articulations moins complexes, l'insecte doit se reposer un moment entre chaque saut.

### 2 PRÉPARATION DU SAUT
Le criquet s'apprête à sauter de nouveau en ramenant ses longs tibias contre son abdomen, près de son centre de gravité. Les grands muscles de la partie la plus épaisse, le fémur, sont attachés à l'extrémité du tibia. Quand ces muscles se contractent, la patte se redresse brusquement, projetant l'insecte en l'air.

*Les mouchetures des ailes dissimulent l'insecte sur le sol (pp. 44-45).*

*Fémur*

*Tibia*

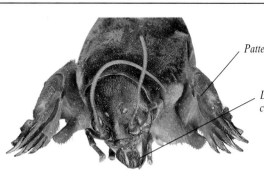

Pattes aplaties et vigoureuses

Les pièces buccales fonctionnent comme des cisailles.

*Pattes antérieures à piquants pour saisir et tenir la proie*

### DES GRILLONS-TAUPES

Les courtilières *(Gryllotalpa gryllotalpa)* ont, comme les taupes, des pattes antérieures extraordinairement fortes et aplaties, qui leur servent de pelles pour s'enterrer dans le sol. Tout en creusant des tunnels, elles mangent des racines qu'elles coupent avec leurs pièces buccales, qui fonctionnent comme des cisailles.

### POUR ÉTREINDRE

De nombreux insectes ont des pattes préhensiles. Parfois, comme c'est le cas pour cette mante *(Sibylla pretiosa)*, elles permettent de saisir une proie et de la tenir pendant que l'insecte la dévore, mais aussi d'étreindre le partenaire sexuel pendant l'accouplement, et de lutter contre les rivaux.

### LES TAUPES

Comme les courtilières, les taupes, petits mammifères des champs, ont aussi des pattes de devant qui font office de pelles. C'est un exemple d'évolution convergente, c'est-à-dire de plantes ou d'animaux qui, menant des types de vie semblables, évoluent de la même manière.

*Ailes antérieures et postérieures largement déployées*

*Antennes*

*Thorax*

*Des ailes aérodynamiques pour gagner de la hauteur*

*Pattes au profil aérodynamique*

*Les pattes sont logées sous le corps.*

### 3 L'IMPULSION

Le ailes fermées, les pattes repliées sous son abdomen, le criquet sait rendre son corps aérodynamique pour atteindre la hauteur maximale. Les muscles de ses pattes sont petits, mais environ 1 000 fois plus puissants que le poids équivalent d'un muscle humain. Le criquet peut sauter jusqu'à 50 cm (10 fois la longueur de son corps).

### 4 EN PLEIN SAUT

Une fois arrivée au sommet de son saut, la locuste déploie ses deux paires d'ailes le plus largement possible et les agite rapidement pour se propulser encore plus loin. Les pattes arrière ont un profil aérodynamique, et celles de devant s'étendent tandis que l'insecte se prépare de nouveau à atterrir.

### SE CACHER GRÂCE À SES PATTES

Modifier la configuration de ses pattes, afin de ressembler à une feuille, pour tromper ses prédateurs, voilà la préoccupation essentielle de ce phasme *(Phyllium pulchrifolium)*.

*Fines expansions des pattes pour figurer la forme et la coloration des feuilles*

*Antenne*

*Œil*

### FAUSSES PATTES

Rattachées à l'abdomen, les « pattes » des chenilles sont en réalité des expansions musculaires de la paroi du corps, appelées « fausses » pattes, dont l'extrémité est couronnée de poils. Elles sont nécessaires à la locomotion alors que les trois paires de vraies pattes, rattachées au thorax, saisissent la nourriture.

*Des verts et des bruns qui se mêlent aux feuillages*

# GASTRONOMIE CHEZ LES INSECTES

Les ancêtres des insectes actuels possédaient trois paires de mâchoires qui ont évolué selon les régimes alimentaires. La première, extrêmement puissante, appelée mandibules, est bien développée chez les espèces qui broient leur nourriture. La seconde, plus petite, les maxilles, sert à triturer ou à sucer la nourriture. La troisième, enfin, s'est soudée en une seule lèvre inférieure, le labium. Ce dernier constitue chez les mouches un coussinet pour éponger les liquides.

**ELLE MANGE SES PETITS**
Cette sauterelle se nourrit de morceaux de fleur. Elle tient la plante avec ses pattes antérieures et la broie entre ses grandes et puissantes mandibules en forme de scie. Les sauterelles mangent aussi d'autres insectes – et même leurs propres petits.

**ELLES PIQUENT !**
Cette ancienne gravure n'est pas exacte, mais elle montre néanmoins que les puces ont une puissante trompe suceuse entourée de deux aires de palpes, organes sensoriels.

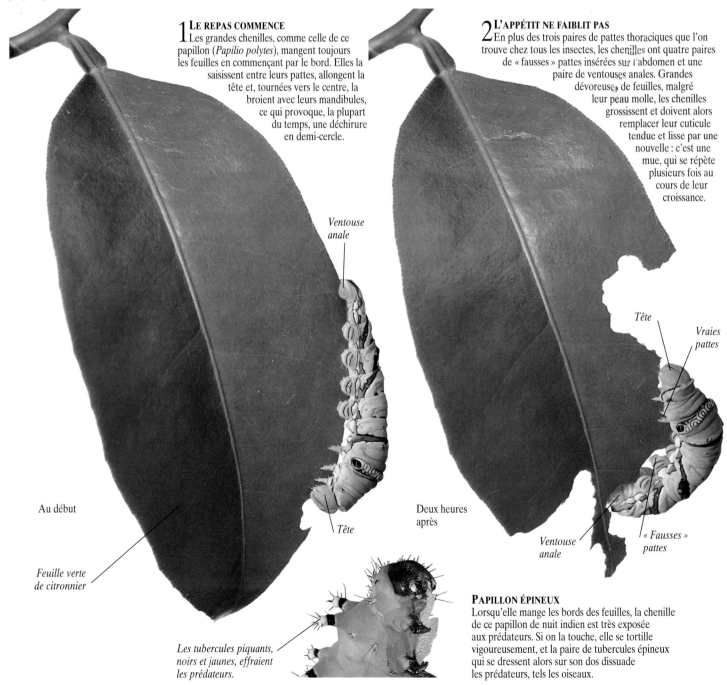

**1 LE REPAS COMMENCE**
Les grandes chenilles, comme celle de ce papillon (*Papilio polytes*), mangent toujours les feuilles en commençant par le bord. Elles la saisissent entre leurs pattes, allongent la tête et, tournées vers le centre, la broient avec leurs mandibules, ce qui provoque, la plupart du temps, une déchirure en demi-cercle.

**2 L'APPÉTIT NE FAIBLIT PAS**
En plus des trois paires de pattes thoraciques que l'on trouve chez tous les insectes, les chenilles ont quatre paires de « fausses » pattes insérées sur l'abdomen et une paire de ventouses anales. Grandes dévoreuses de feuilles, malgré leur peau molle, les chenilles grossissent et doivent alors remplacer leur cuticule tendue et lisse par une nouvelle : c'est une mue, qui se répète plusieurs fois au cours de leur croissance.

*Ventouse anale*

*Tête*

*Vraies pattes*

Au début

Deux heures après

*Tête*

*Ventouse anale*

*« Fausses » pattes*

*Feuille verte de citronnier*

*Les tubercules piquants, noirs et jaunes, effraient les prédateurs.*

**PAPILLON ÉPINEUX**
Lorsqu'elle mange les bords des feuilles, la chenille de ce papillon de nuit indien est très exposée aux prédateurs. Si on la touche, elle se tortille vigoureusement, et la paire de tubercules épineux qui se dressent alors sur son dos dissuade les prédateurs, tels les oiseaux.

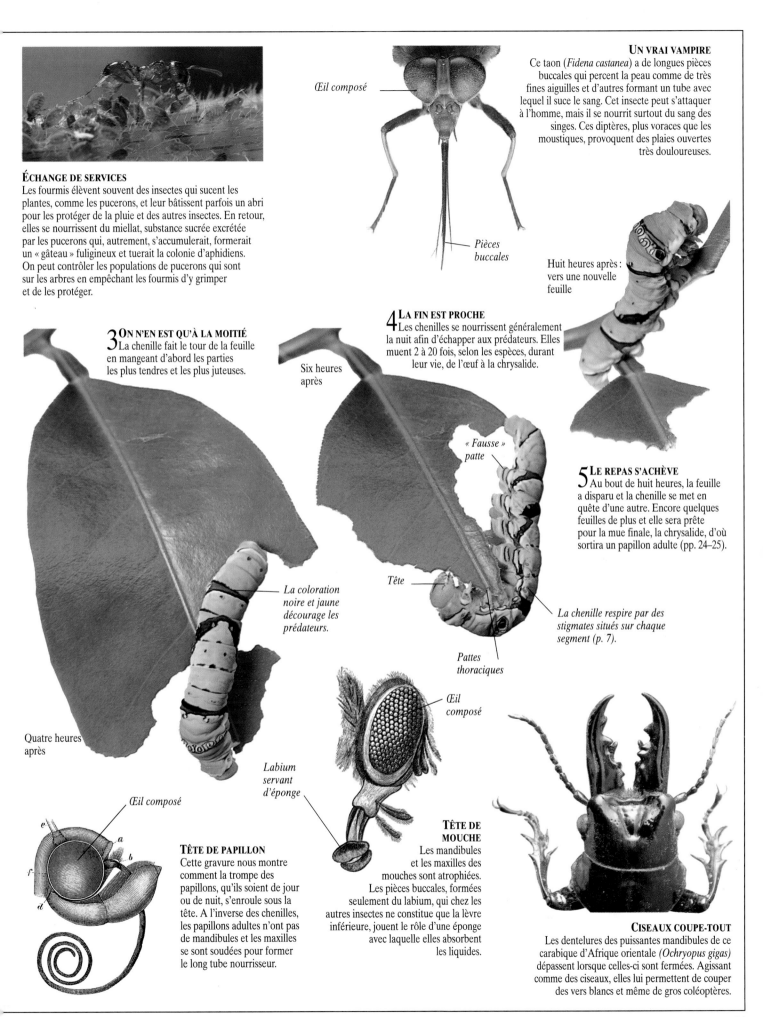

**ÉCHANGE DE SERVICES**
Les fourmis élèvent souvent des insectes qui sucent les plantes, comme les pucerons, et leur bâtissent parfois un abri pour les protéger de la pluie et des autres insectes. En retour, elles se nourrissent du miellat, substance sucrée excrétée par les pucerons qui, autrement, s'accumulerait, formerait un « gâteau » fuligineux et tuerait la colonie d'aphidiens. On peut contrôler les populations de pucerons qui sont sur les arbres en empêchant les fourmis d'y grimper et de les protéger.

*Œil composé*

**UN VRAI VAMPIRE**
Ce taon (*Fidena castanea*) a de longues pièces buccales qui percent la peau comme de très fines aiguilles et d'autres formant un tube avec lequel il suce le sang. Cet insecte peut s'attaquer à l'homme, mais il se nourrit surtout du sang des singes. Ces diptères, plus voraces que les moustiques, provoquent des plaies ouvertes très douloureuses.

*Pièces buccales*

Huit heures après : vers une nouvelle feuille

**3 ON N'EN EST QU'À LA MOITIÉ**
La chenille fait le tour de la feuille en mangeant d'abord les parties les plus tendres et les plus juteuses.

Six heures après

**4 LA FIN EST PROCHE**
Les chenilles se nourrissent généralement la nuit afin d'échapper aux prédateurs. Elles muent 2 à 20 fois, selon les espèces, durant leur vie, de l'œuf à la chrysalide.

*« Fausse » patte*

**5 LE REPAS S'ACHÈVE**
Au bout de huit heures, la feuille a disparu et la chenille se met en quête d'une autre. Encore quelques feuilles de plus et elle sera prête pour la mue finale, la chrysalide, d'où sortira un papillon adulte (pp. 24–25).

*La coloration noire et jaune décourage les prédateurs.*

*Tête*

*La chenille respire par des stigmates situés sur chaque segment (p. 7).*

*Pattes thoraciques*

Quatre heures après

*Labium servant d'éponge*

*Œil composé*

*Œil composé*

**TÊTE DE PAPILLON**
Cette gravure nous montre comment la trompe des papillons, qu'ils soient de jour ou de nuit, s'enroule sous la tête. A l'inverse des chenilles, les papillons adultes n'ont pas de mandibules et les maxilles se sont soudées pour former le long tube nourrisseur.

**TÊTE DE MOUCHE**
Les mandibules et les maxilles des mouches sont atrophiées. Les pièces buccales, formées seulement du labium, qui chez les autres insectes ne constitue que la lèvre inférieure, jouent le rôle d'une éponge avec laquelle elles absorbent les liquides.

**CISEAUX COUPE-TOUT**
Les dentelures des puissantes mandibules de ce carabique d'Afrique orientale (*Ochryopus gigas*) dépassent lorsque celles-ci sont fermées. Agissant comme des ciseaux, elles lui permettent de couper des vers blancs et même de gros coléoptères.

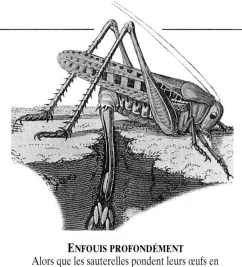

**ENFOUIS PROFONDÉMENT**
Alors que les sauterelles pondent leurs œufs en grappes entre les racines des herbes, les femelles des criquets migrateurs et des dectiques à front blanc *(Dectitus albifrons)* creusent dans le sol avec leur long oviposteur et pondent leurs œufs sous terre. Puis elles rebouchent le trou et ratissent la surface pour mieux le dissimuler.

# COLÉOPTÈRE D'ASSAUT

Par temps chaud, un puceron adulte peut donner naissance chaque semaine à cinquante petits. À ce rythme de reproduction, une couche de pucerons épaisse de 50 cm recouvrirait la terre entière en quelques mois si les prédateurs et le manque de plantes nécessaires à l'alimentation des insectes ne limitaient leur population. Un autre facteur de limitation est la concurrence sans merci que se font certaines espèces – comme celles qui vivent sur le bois mort – pour trouver nourriture et sites de reproduction. Enfin, beaucoup de mâles sont armés de grandes cornes, ou puissantes mandibules, avec lesquelles ils défendent énergiquement leur territoire.

*Fémur*

*Tibia*

*Thorax*

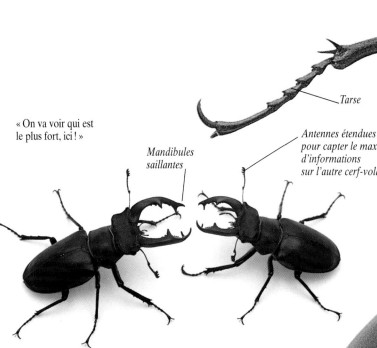

« On va voir qui est le plus fort, ici ! »

*Tarse*

*Mandibules saillantes*

*Antennes étendues pour capter le maximum d'informations sur l'autre cerf-volant*

**1 LES ADVERSAIRES SE JAUGENT**
Les cerfs-volants *(Lucanus cervus)*, les plus grands coléoptères d'Europe, tirent leur nom des grandes « cornes » ramifiées des mâles, qui sont en réalité des mandibules très développées. Ils s'en servent pour combattre à la manière des cerfs avec leurs bois. Un mâle défend son territoire, généralement au crépuscule, en adoptant une attitude menaçante.

*Ailes antérieures dures et protectrices, ou élytres*

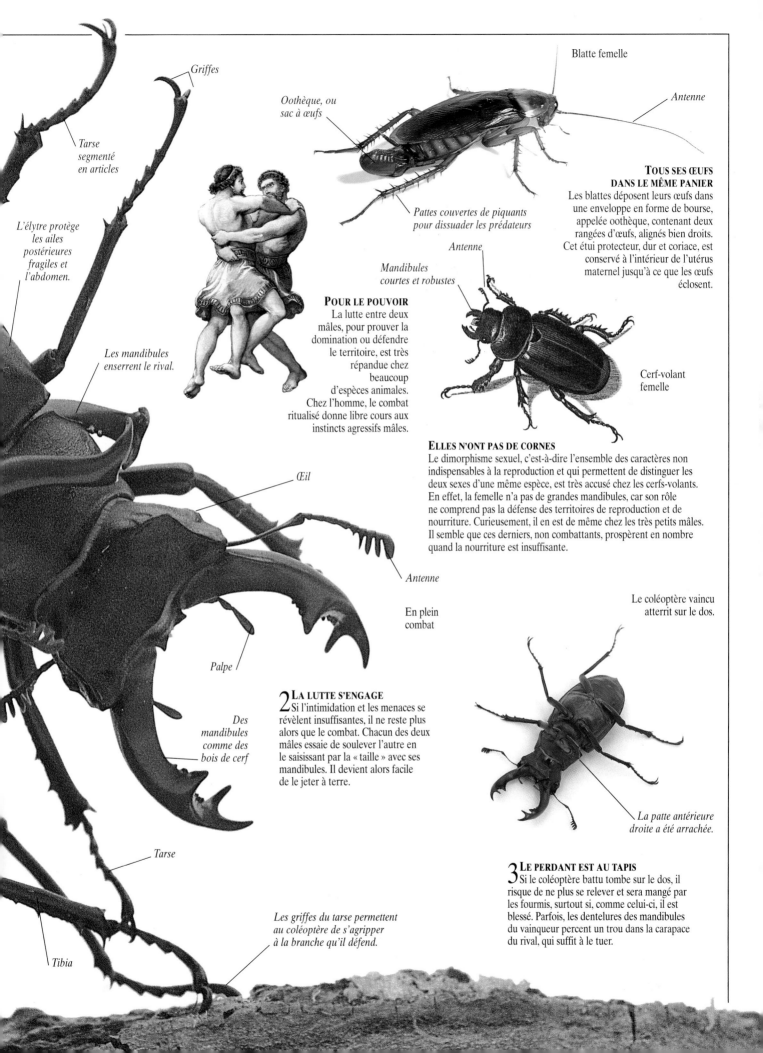

Griffes

Tarse
segmenté
en articles

L'élytre protège
les ailes
postérieures
fragiles et
l'abdomen.

Les mandibules
enserrent le rival.

Œil

Palpe

Des
mandibules
comme des
bois de cerf

Tarse

Tibia

Oothèque, ou
sac à œufs

Blatte femelle

Antenne

Pattes couvertes de piquants
pour dissuader les prédateurs

**TOUS SES ŒUFS
DANS LE MÊME PANIER**
Les blattes déposent leurs œufs dans
une enveloppe en forme de bourse,
appelée oothèque, contenant deux
rangées d'œufs, alignés bien droits.
Cet étui protecteur, dur et coriace, est
conservé à l'intérieur de l'utérus
maternel jusqu'à ce que les œufs
éclosent.

Antenne

Mandibules
courtes et robustes

**POUR LE POUVOIR**
La lutte entre deux
mâles, pour prouver la
domination ou défendre
le territoire, est très
répandue chez
beaucoup
d'espèces animales.
Chez l'homme, le combat
ritualisé donne libre cours aux
instincts agressifs mâles.

Cerf-volant
femelle

**ELLES N'ONT PAS DE CORNES**
Le dimorphisme sexuel, c'est-à-dire l'ensemble des caractères non
indispensables à la reproduction et qui permettent de distinguer les
deux sexes d'une même espèce, est très accusé chez les cerfs-volants.
En effet, la femelle n'a pas de grandes mandibules, car son rôle
ne comprend pas la défense des territoires de reproduction et de
nourriture. Curieusement, il en est de même chez les très petits mâles.
Il semble que ces derniers, non combattants, prospèrent en nombre
quand la nourriture est insuffisante.

Le coléoptère vaincu
atterrit sur le dos.

Antenne

En plein
combat

**2 LA LUTTE S'ENGAGE**
Si l'intimidation et les menaces se
révèlent insuffisantes, il ne reste plus
alors que le combat. Chacun des deux
mâles essaie de soulever l'autre en
le saisissant par la « taille » avec ses
mandibules. Il devient alors facile
de le jeter à terre.

La patte antérieure
droite a été arrachée.

**3 LE PERDANT EST AU TAPIS**
Si le coléoptère battu tombe sur le dos, il
risque de ne plus se relever et sera mangé par
les fourmis, surtout si, comme celui-ci, il est
blessé. Parfois, les dentelures des mandibules
du vainqueur percent un trou dans la carapace
du rival, qui suffit à le tuer.

Les griffes du tarse permettent
au coléoptère de s'agripper
à la branche qu'il défend.

# ŒUF, LARVE, NYMPHE, ADULTE : LA MÉTAMORPHOSE EST COMPLÈTE

Les ordres d'insectes les plus évolués ont un cycle de vie complexe entraînant une métamorphose complète. Les œufs donnent naissance à des larves (chenilles, vers ou asticots) dont l'aspect diffère de celui de l'adulte. Leur régime alimentaire et les lieux où ils vivent ne sont pas les mêmes non plus. Au cours de sa croissance, la larve mue à plusieurs reprises (pp. 6-7), puis se transforme en nymphe, chrysalide ou pupe, d'où sortira un adulte ailé – ce n'est qu'au stade de la nymphose qu'apparaissent des ailes rudimentaires. Au cours de ce cycle, les larves ne font que se nourrir tandis que les adultes se reproduisent et cherchent de nouveaux sites. Les guêpes, les abeilles, les fourmis, les mouches, les mouches-scorpions, les coléoptères, les papillons de jour et de nuit, les phryganes et les puces subissent tous une métamorphose complète. Il existe néanmoins quelques exceptions parmi ces insectes : certaines mouches ne deviennent pas adultes, chaque larve donnant naissance à d'autres larves.

*Larve émergeant*

*Calotte*

## L'ACCOUPLEMENT
Ces coccinelles mexicaines *(Epilachna varivestis)* se nourrissent exclusivement de plantes. Le mâle et la femelle se ressemblent beaucoup et s'accouplent fréquemment.

## LA PONTE
La coccinelle mexicaine pond ses œufs au revers des feuilles, par groupes de cinquante ; ils y restent collés grâce à une sécrétion visqueuse, puis éclosent au bout d'une semaine environ.

## 1 L'ÉCLOSION
Chaque œuf possède, à son sommet, des pores qui permettent à l'embryon qui se développe à l'intérieur de respirer. Une semaine après la ponte, la larve brise ou ronge la partie supérieure de la coque, ou calotte, pour sortir.

*Dépouille larvaire*

*Nouvelle peau nymphale*

*Dépouille larvaire avec ses longs piquants*

*Nouvelle peau nymphale avec ses courtes épines*

*Peau larvaire*

## 4 LA NYMPHOSE
Une fois le stade des mues achevé, la larve est prête pour celui de la nymphose : elle s'attache alors solidement au revers d'un squelette de feuille. Une peau nymphale, molle, se forme sous la peau larvaire dont elle se dépouille. Cette nouvelle peau durcit dès qu'elle est exposée à l'air.

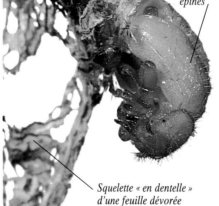

*Larve se nourrissant d'une tige*

*Squelette « en dentelle » d'une feuille dévorée par des larves*

*La peau nymphale se fend*

*La tête émerge en premier.*

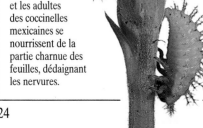

## FESTIN DE FEUILLES
Les larves et les adultes des coccinelles mexicaines se nourrissent de la partie charnue des feuilles, dédaignant les nervures.

## 5 LA NYMPHOSE
La nymphose est un stade de repos, au cours duquel s'élaborent des transformations importantes qui permettent à l'insecte de passer du type larve au type chrysalide. Sur cette photo on peut voir, par transparence, les élytres jaune clair et le premier segment du thorax de l'adulte.

## 6 LA MUE NYMPHALE
La mince peau nymphale épineuse se fend par en dessous et le jeune adulte, encore mou, s'en extirpe lentement, tête la première. Il faut à peu près une heure à la coccinelle pour se libérer totalement de sa nymphe.

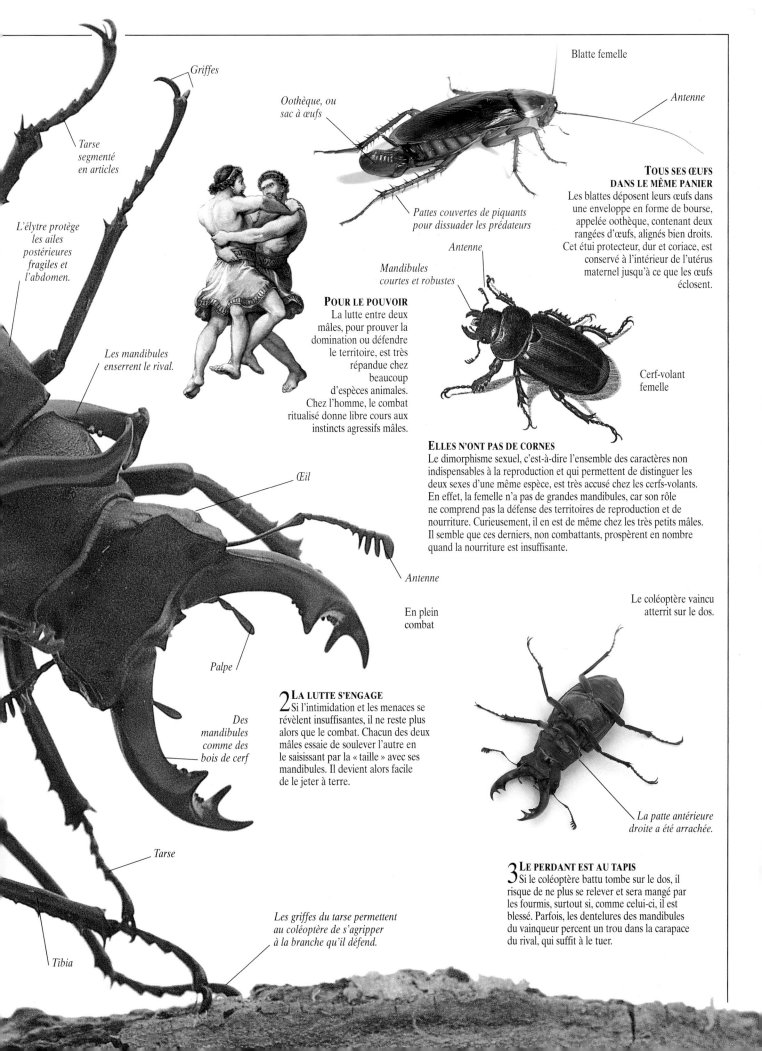

*Griffes*

*Tarse segmenté en articles*

*L'élytre protège les ailes postérieures fragiles et l'abdomen.*

*Les mandibules enserrent le rival.*

*Œil*

*Palpe*

*Des mandibules comme des bois de cerf*

*Tarse*

*Tibia*

*Les griffes du tarse permettent au coléoptère de s'agripper à la branche qu'il défend.*

*Oothèque, ou sac à œufs*

**Blatte femelle**

*Antenne*

*Pattes couvertes de piquants pour dissuader les prédateurs*

### TOUS SES ŒUFS DANS LE MÊME PANIER
Les blattes déposent leurs œufs dans une enveloppe en forme de bourse, appelée oothèque, contenant deux rangées d'œufs, alignés bien droits. Cet étui protecteur, dur et coriace, est conservé à l'intérieur de l'utérus maternel jusqu'à ce que les œufs éclosent.

*Antenne*

*Mandibules courtes et robustes*

### POUR LE POUVOIR
La lutte entre deux mâles, pour prouver la domination ou défendre le territoire, est très répandue chez beaucoup d'espèces animales. Chez l'homme, le combat ritualisé donne libre cours aux instincts agressifs mâles.

*Cerf-volant femelle*

### ELLES N'ONT PAS DE CORNES
Le dimorphisme sexuel, c'est-à-dire l'ensemble des caractères non indispensables à la reproduction et qui permettent de distinguer les deux sexes d'une même espèce, est très accusé chez les cerfs-volants. En effet, la femelle n'a pas de grandes mandibules, car son rôle ne comprend pas la défense des territoires de reproduction et de nourriture. Curieusement, il en est de même chez les très petits mâles. Il semble que ces derniers, non combattants, prospèrent en nombre quand la nourriture est insuffisante.

*Antenne*

*En plein combat*

*Le coléoptère vaincu atterrit sur le dos.*

### 2 LA LUTTE S'ENGAGE
Si l'intimidation et les menaces se révèlent insuffisantes, il ne reste plus alors que le combat. Chacun des deux mâles essaie de soulever l'autre en le saisissant par la « taille » avec ses mandibules. Il devient alors facile de le jeter à terre.

*La patte antérieure droite a été arrachée.*

### 3 LE PERDANT EST AU TAPIS
Si le coléoptère battu tombe sur le dos, il risque de ne plus se relever et sera mangé par les fourmis, surtout si, comme celui-ci, il est blessé. Parfois, les dentelures des mandibules du vainqueur percent un trou dans la carapace du rival, qui suffit à le tuer.

# ŒUF, LARVE, NYMPHE, ADULTE : LA MÉTAMORPHOSE EST COMPLÈTE

Les ordres d'insectes les plus évolués ont un cycle de vie complexe entraînant une métamorphose complète. Les œufs donnent naissance à des larves (chenilles, vers ou asticots) dont l'aspect diffère de celui de l'adulte. Leur régime alimentaire et les lieux où ils vivent ne sont pas les mêmes non plus. Au cours de sa croissance, la larve mue à plusieurs reprises (pp. 6-7), puis se transforme en nymphe, chrysalide ou pupe, d'où sortira un adulte ailé – ce n'est qu'au stade de la nymphose qu'apparaissent des ailes rudimentaires. Au cours de ce cycle, les larves ne font que se nourrir tandis que les adultes se reproduisent et cherchent de nouveaux sites. Les guêpes, les abeilles, les fourmis, les mouches, les mouches-scorpions, les coléoptères, les papillons de jour et de nuit, les phryganes et les puces subissent tous une métamorphose complète. Il existe néanmoins quelques exceptions parmi ces insectes : certaines mouches ne deviennent pas adultes, chaque larve donnant naissance à d'autres larves.

*Larve émergeant*

*Calotte*

**L'ACCOUPLEMENT**
Ces coccinelles mexicaines *(Epilachna varivestis)* se nourrissent exclusivement de plantes. Le mâle et la femelle se ressemblent beaucoup et s'accouplent fréquemment.

**LA PONTE**
La coccinelle mexicaine pond ses œufs au revers des feuilles, par groupes de cinquante ; ils y restent collés grâce à une sécrétion visqueuse, puis éclosent au bout d'une semaine environ.

**1 L'ÉCLOSION**
Chaque œuf possède, à son sommet, des pores qui permettent à l'embryon qui se développe à l'intérieur de respirer. Une semaine après la ponte, la larve brise ou ronge la partie supérieure de la coque, ou calotte, pour sortir.

*Dépouille larvaire*

*Nouvelle peau nymphale*

*Dépouille larvaire avec ses longs piquants*

*Nouvelle peau nymphale avec ses courtes épines*

*Peau larvaire*

**4 LA NYMPHOSE**
Une fois le stade des mues achevé, la larve est prête pour celui de la nymphose : elle s'attache alors solidement au revers d'un squelette de feuille. Une peau nymphale, molle, se forme sous la peau larvaire dont elle se dépouille. Cette nouvelle peau durcit dès qu'elle est exposée à l'air.

*Larve se nourrissant d'une tige*

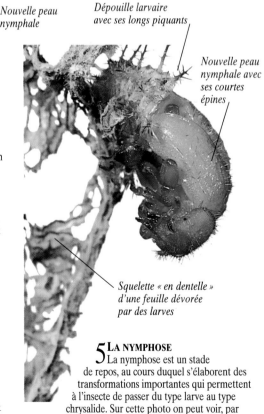

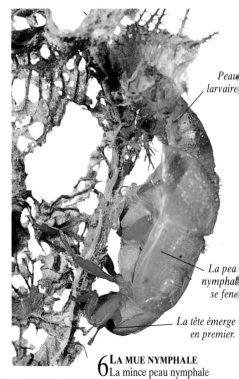

*La peau nymphale se fend*

**FESTIN DE FEUILLES**
Les larves et les adultes des coccinelles mexicaines se nourrissent de la partie charnue des feuilles, dédaignant les nervures.

*Squelette « en dentelle » d'une feuille dévorée par des larves*

**5 LA NYMPHOSE**
La nymphose est un stade de repos, au cours duquel s'élaborent des transformations importantes qui permettent à l'insecte de passer du type larve au type chrysalide. Sur cette photo on peut voir, par transparence, les élytres jaune clair et le premier segment du thorax de l'adulte.

*La tête émerge en premier.*

**6 LA MUE NYMPHALE**
La mince peau nymphale épineuse se fend par en dessous et le jeune adulte, encore mou, s'en extirpe lentement, tête la première. Il faut à peu près une heure à la coccinelle pour se libérer totalement de sa nymphe.

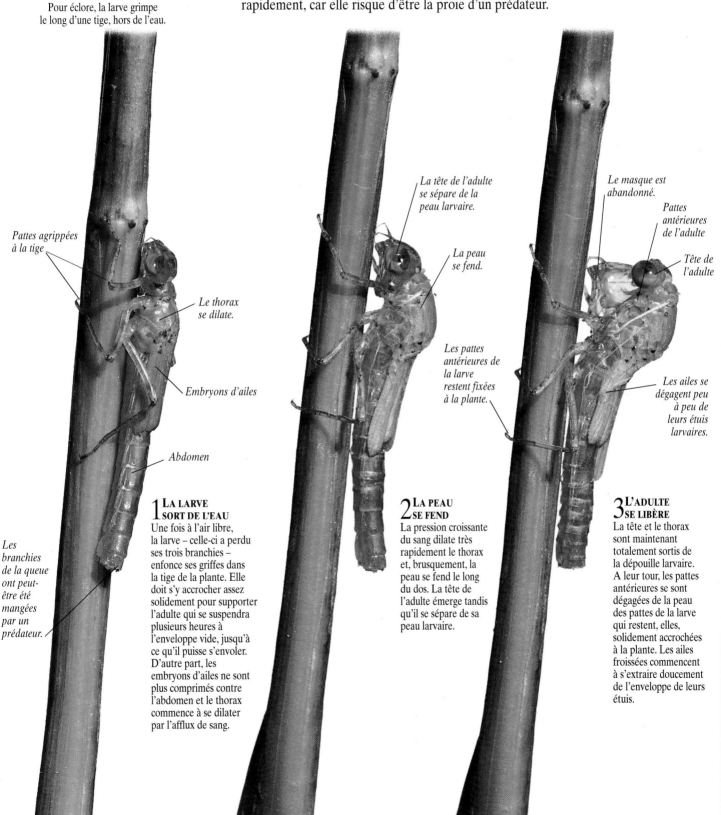

## QUAND L'ADULTE ÉCLÔT

On distinge bien la structure des organes adultes sous la peau de cette larve de demoiselle, qui, à ce stade, vit toujours dans l'eau. Les muscles du vol et le thorax épais sont formés, mais il faut encore que le corps et les ailes s'allongent et que la tête se dépouille du masque larvaire. Ces changements prennent place au cours de la vie aquatique. Puis la larve grimpe hors de l'eau, éclôt et la demoiselle adulte sort de sa dépouille larvaire. À ce moment-là, elle n'a guère de protection et doit s'envoler rapidement, car elle risque d'être la proie d'un prédateur.

Pour éclore, la larve grimpe le long d'une tige, hors de l'eau.

Pattes agrippées à la tige

Le thorax se dilate.

Embryons d'ailes

Abdomen

Les branchies de la queue ont peut-être été mangées par un prédateur.

La tête de l'adulte se sépare de la peau larvaire.

La peau se fend.

Les pattes antérieures de la larve restent fixées à la plante.

Le masque est abandonné.

Pattes antérieures de l'adulte

Tête de l'adulte

Les ailes se dégagent peu à peu de leurs étuis larvaires.

### 1 LA LARVE SORT DE L'EAU
Une fois à l'air libre, la larve – celle-ci a perdu ses trois branchies – enfonce ses griffes dans la tige de la plante. Elle doit s'y accrocher assez solidement pour supporter l'adulte qui se suspendra plusieurs heures à l'enveloppe vide, jusqu'à ce qu'il puisse s'envoler. D'autre part, les embryons d'ailes ne sont plus comprimés contre l'abdomen et le thorax commence à se dilater par l'afflux de sang.

### 2 LA PEAU SE FEND
La pression croissante du sang dilate très rapidement le thorax et, brusquement, la peau se fend le long du dos. La tête de l'adulte émerge tandis qu'il se sépare de sa peau larvaire.

### 3 L'ADULTE SE LIBÈRE
La tête et le thorax sont maintenant totalement sortis de la dépouille larvaire. A leur tour, les pattes antérieures se sont dégagées de la peau des pattes de la larve qui restent, elles, solidement accrochées à la plante. Les ailes froissées commencent à s'extraire doucement de l'enveloppe de leurs étuis.

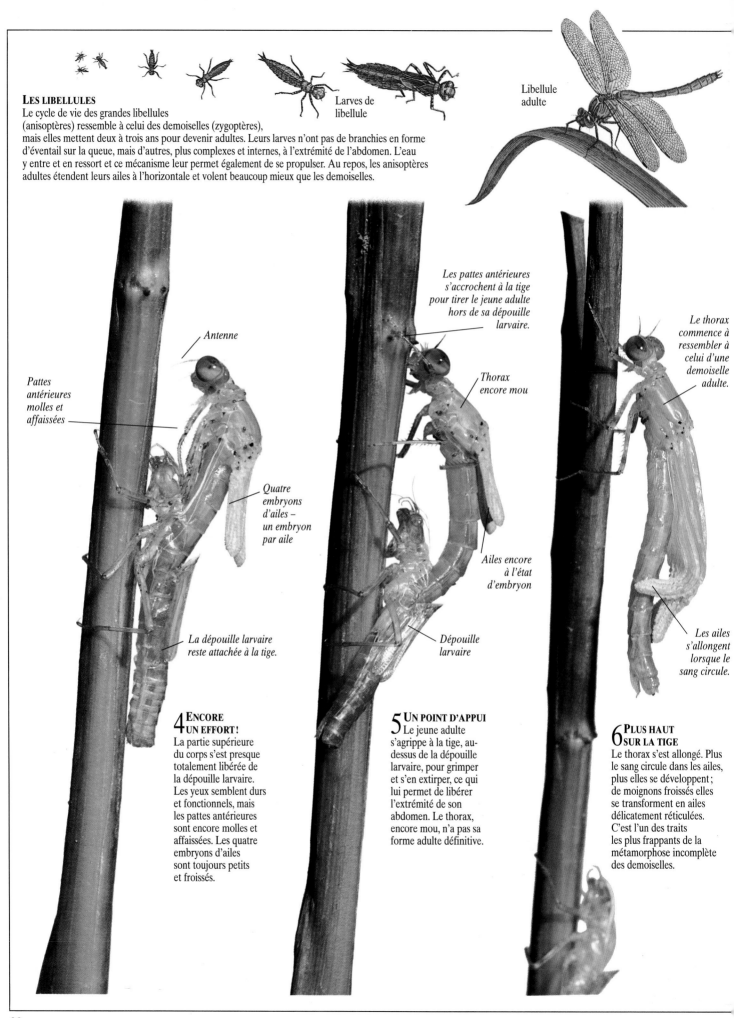

**LES LIBELLULES**

Le cycle de vie des grandes libellules
(anisoptères) ressemble à celui des demoiselles (zygoptères),
mais elles mettent deux à trois ans pour devenir adultes. Leurs larves n'ont pas de branchies en forme
d'éventail sur la queue, mais d'autres, plus complexes et internes, à l'extrémité de l'abdomen. L'eau
y entre et en ressort et ce mécanisme leur permet également de se propulser. Au repos, les anisoptères
adultes étendent leurs ailes à l'horizontale et volent beaucoup mieux que les demoiselles.

Larves de
libellule

Libellule
adulte

*Antenne*

*Pattes
antérieures
molles et
affaissées*

*Quatre
embryons
d'ailes –
un embryon
par aile*

*La dépouille larvaire
reste attachée à la tige.*

*Les pattes antérieures
s'accrochent à la tige
pour tirer le jeune adulte
hors de sa dépouille
larvaire.*

*Thorax
encore mou*

*Ailes encore
à l'état
d'embryon*

*Dépouille
larvaire*

*Le thorax
commence à
ressembler à
celui d'une
demoiselle
adulte.*

*Les ailes
s'allongent
lorsque le
sang circule.*

**4 ENCORE
UN EFFORT !**
La partie supérieure
du corps s'est presque
totalement libérée de
la dépouille larvaire.
Les yeux semblent durs
et fonctionnels, mais
les pattes antérieures
sont encore molles et
affaissées. Les quatre
embryons d'ailes
sont toujours petits
et froissés.

**5 UN POINT D'APPUI**
Le jeune adulte
s'agrippe à la tige, au-
dessus de la dépouille
larvaire, pour grimper
et s'en extirper, ce qui
lui permet de libérer
l'extrémité de son
abdomen. Le thorax,
encore mou, n'a pas sa
forme adulte définitive.

**6 PLUS HAUT
SUR LA TIGE**
Le thorax s'est allongé. Plus
le sang circule dans les ailes,
plus elles se développent ;
de moignons froissés elles
se transforment en ailes
délicatement réticulées.
C'est l'un des traits
les plus frappants de la
métamorphose incomplète
des demoiselles.

28

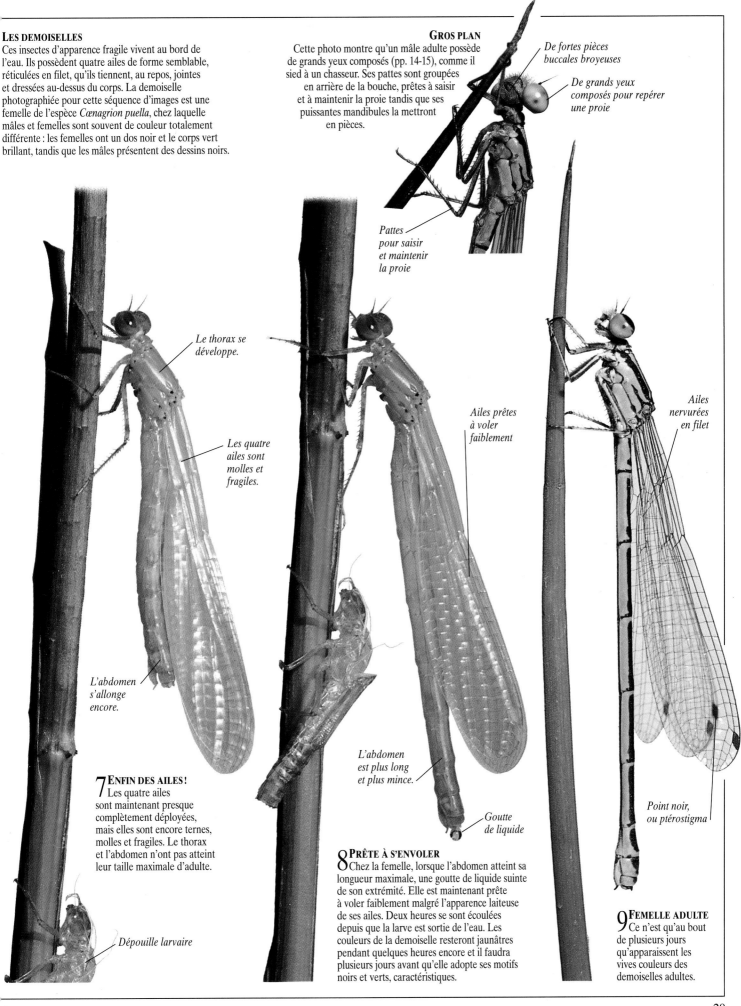

## LES DEMOISELLES

Ces insectes d'apparence fragile vivent au bord de l'eau. Ils possèdent quatre ailes de forme semblable, réticulées en filet, qu'ils tiennent, au repos, jointes et dressées au-dessus du corps. La demoiselle photographiée pour cette séquence d'images est une femelle de l'espèce *Cænagrion puella*, chez laquelle mâles et femelles sont souvent de couleur totalement différente : les femelles ont un dos noir et le corps vert brillant, tandis que les mâles présentent des dessins noirs.

## GROS PLAN

Cette photo montre qu'un mâle adulte possède de grands yeux composés (pp. 14-15), comme il sied à un chasseur. Ses pattes sont groupées en arrière de la bouche, prêtes à saisir et à maintenir la proie tandis que ses puissantes mandibules la mettront en pièces.

De fortes pièces buccales broyeuses

De grands yeux composés pour repérer une proie

Pattes pour saisir et maintenir la proie

Le thorax se développe.

Les quatre ailes sont molles et fragiles.

L'abdomen s'allonge encore.

Ailes prêtes à voler faiblement

Ailes nervurées en filet

### 7 ENFIN DES AILES !
Les quatre ailes sont maintenant presque complètement déployées, mais elles sont encore ternes, molles et fragiles. Le thorax et l'abdomen n'ont pas atteint leur taille maximale d'adulte.

Dépouille larvaire

L'abdomen est plus long et plus mince.

Goutte de liquide

### 8 PRÊTE À S'ENVOLER
Chez la femelle, lorsque l'abdomen atteint sa longueur maximale, une goutte de liquide suinte de son extrémité. Elle est maintenant prête à voler faiblement malgré l'apparence laiteuse de ses ailes. Deux heures se sont écoulées depuis que la larve est sortie de l'eau. Les couleurs de la demoiselle resteront jaunâtres pendant quelques heures encore et il faudra plusieurs jours avant qu'elle adopte ses motifs noirs et verts, caractéristiques.

Point noir, ou ptérostigma

### 9 FEMELLE ADULTE
Ce n'est qu'au bout de plusieurs jours qu'apparaissent les vives couleurs des demoiselles adultes.

29

# LES COLÉOPTÈRES FORMENT UN GRAND ORDRE

Des ptiliidés plus petits qu'une tête d'épingle, aux goliaths qui atteignent 15 cm de long, il existe au moins 300 000 espèces de coléoptères vivant sous tous les climats et dans les milieux les plus divers : sommets neigeux, déserts brûlants, mares boueuses (pp. 48-49).

Chassés par un grand nombre d'oiseaux, de lézards et de petits mammifères, ils se nourrissent de plantes et d'animaux, morts ou vivants. D'abord œufs, puis larves, nymphes et enfin adultes, les coléoptères subissent une métamorphose complète (pp. 24-25) qui peut, selon les espèces, durer des années.

Leurs ailes postérieures, dont ils se servent pour voler (pp. 12-13), sont recouvertes par leurs ailes antérieures, les élytres. Ces dernières sont cornées et font des coléoptères les plus cuirassés des insectes.

**SACRÉ**
Les Egyptiens de l'Antiquité voyaient dans le scarabée en train de pousser sa boule de bouse le symbole de Râ, le dieu solaire, qui faisait rouler le soleil et renouvelait ainsi la vie.

**UN GÉANT**
Les goliaths africains figurent parmi les plus grandes cétoines du monde et les plus lourds insectes volants. Les adultes peuvent atteindre 15 cm de long et peser jusqu'à 100 g. Les larves vivent dans les végétaux en décomposition. Sorti de sa nymphe, le goliath vole parmi les arbres pour se nourrir de sève et s'accoupler.

*Goliathus cadicus*

Sagra de Malaisie (mâle)

*Doryphorella langsdorfi*

**VIVRE ENTRE LES FEUILLES**
Les chrysomèles ont souvent de brillantes couleurs. Le mâle de l'espèce sauteuse de Malaisie (*Sagra buqueti*) étreint la femelle entre ses grandes pattes postérieures durant l'accouplement. La chrysomèle sud-américaine (*Doryphorella langsdorfi*) vit sur les feuilles et s'en nourrit.

Pattes postérieures très développées

*Les couleurs chatoyantes permettent aux charançons de se confondre avec le vert luisant des feuilles.*

*Des poils qui découragent les prédateurs*

**REDOUTABLE**
Ce cerf-volant mâle d'Afrique (*Mesotopus tarandus*) a de puissantes mandibules probablement pour se battre contre d'autres mâles.

Cerf-volant

*Lamprocyphus augustus*

*Brachycerus fascicularis*

*Pachyrhynchus species*

*Anthia thoracica*

De longues pattes pour courir

*Megacephala*

Rostre

*Eupholus beccarii*

*Eupholus linnei*

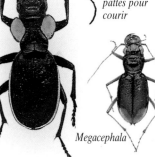

Lucane de Darwin (Chili)

**LE LUCANE DE DARWIN**
Ce lucane mâle (*Chiasognathus granti*) mordit le naturaliste anglais Charles Darwin lors de son voyage en Amérique du Sud. Il se sert de ses longues mandibules pour effrayer ou combattre les autres mâles.

**LES PLUS NOMBREUX**
Les charançons ont un rostre, pourvu de petites mandibules à son extrémité. La plupart de ces coléoptères se nourrissent de plantes. Certains sont très colorés, tandis que d'autres sont poilus, peut-être pour décourager les prédateurs.

**DES TUEURS**
Les *Anthia*, et les *Megacephala* qui leur sont très proches, chassent et mangent de très petits insectes. Cette grande espèce africaine (*Anthia thoracica*) ne vole pas, mais court à toute allure après sa proie. Le *Megacephala* vit et vole dans les régions et les endroits ensoleillés.

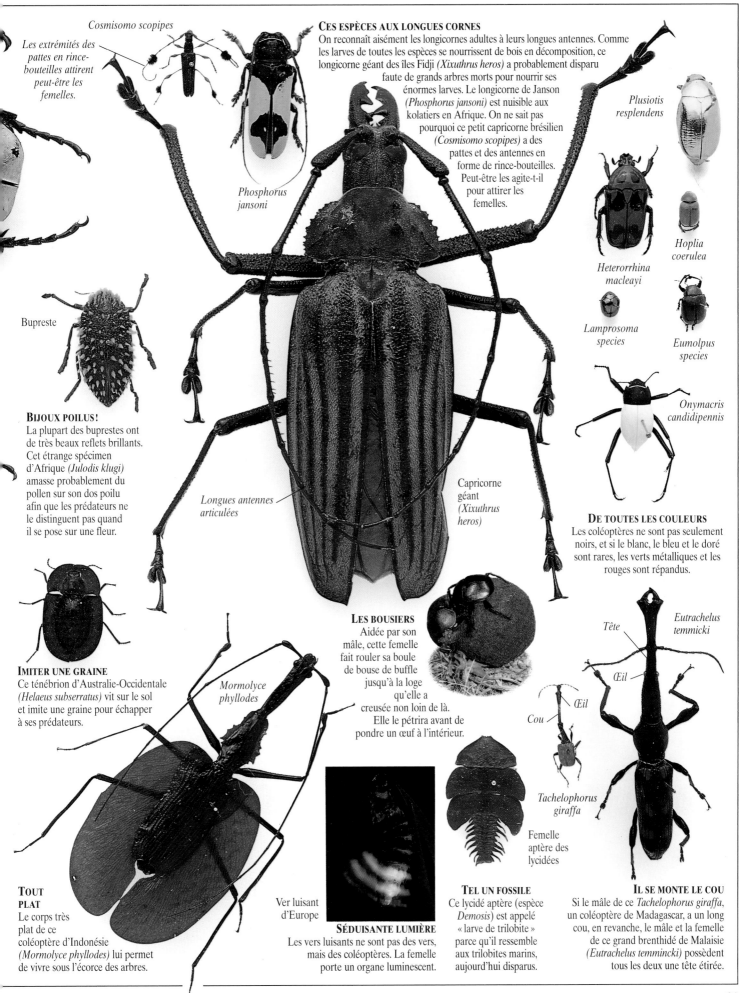

*Cosmisomo scopipes*

*Les extrémités des pattes en rince-bouteilles attirent peut-être les femelles.*

**CES ESPÈCES AUX LONGUES CORNES**
On reconnaît aisément les longicornes adultes à leurs longues antennes. Comme les larves de toutes les espèces se nourrissent de bois en décomposition, ce longicorne géant des îles Fidji *(Xixuthrus heros)* a probablement disparu faute de grands arbres morts pour nourrir ses énormes larves. Le longicorne de Janson *(Phosphorus jansoni)* est nuisible aux kolatiers en Afrique. On ne sait pas pourquoi ce petit capricorne brésilien *(Cosmisomo scopipes)* a des pattes et des antennes en forme de rince-bouteilles. Peut-être les agite-t-il pour attirer les femelles.

*Phosphorus jansoni*

*Plusiotis resplendens*

*Heterorrhina macleayi*

*Hoplia coerulea*

*Lamprosoma species*

*Eumolpus species*

*Onymacris candidipennis*

Bupreste

**BIJOUX POILUS !**
La plupart des buprestes ont de très beaux reflets brillants. Cet étrange spécimen d'Afrique *(Julodis klugi)* amasse probablement du pollen sur son dos poilu afin que les prédateurs ne le distinguent pas quand il se pose sur une fleur.

*Longues antennes articulées*

Capricorne géant *(Xixuthrus heros)*

**DE TOUTES LES COULEURS**
Les coléoptères ne sont pas seulement noirs, et si le blanc, le bleu et le doré sont rares, les verts métalliques et les rouges sont répandus.

**IMITER UNE GRAINE**
Ce ténébrion d'Australie-Occidentale *(Helaeus subserratus)* vit sur le sol et imite une graine pour échapper à ses prédateurs.

*Mormolyce phyllodes*

**LES BOUSIERS**
Aidée par son mâle, cette femelle fait rouler sa boule de bouse de buffle jusqu'à la loge qu'elle a creusée non loin de là. Elle le pétrira avant de pondre un œuf à l'intérieur.

Tête

*Eutrachelus temmicki*

Œil

Œil

Cou

*Tachelophorus giraffa*

Femelle aptère des lycidées

**TOUT PLAT**
Le corps très plat de ce coléoptère d'Indonésie *(Mormolyce phyllodes)* lui permet de vivre sous l'écorce des arbres.

Ver luisant d'Europe

**SÉDUISANTE LUMIÈRE**
Les vers luisants ne sont pas des vers, mais des coléoptères. La femelle porte un organe lumineux.

**TEL UN FOSSILE**
Ce lycidé aptère (espèce *Demosis*) est appelé « larve de trilobite » parce qu'il ressemble aux trilobites marins, aujourd'hui disparus.

**IL SE MONTE LE COU**
Si le mâle de ce *Tachelophorus giraffa*, un coléoptère de Madagascar, a un long cou, en revanche, le mâle et la femelle de ce grand brenthidé de Malaisie *(Eutrachelus temmincki)* possèdent tous les deux une tête étirée.

# LES MOUCHES SONT LES AS DE LA VOLTIGE

Les mouches, de l'ordre des Diptères, que l'on trouve dans le monde entier, sont les seuls insectes à ne posséder que deux ailes. À la place de leurs ailes postérieures, une paire de petits bâtonnets, appelés haltères, leur sert de balancier grâce auquel elles exécutent toutes sortes d'acrobaties aériennes : atterrissage tête en bas, vol en marche arrière, vol stationnaire. Elles subissent une métamorphose complète (pp. 24-25) et ont de grands yeux composés (pp. 14-15), ainsi que des griffes et des pelotes aux pattes qui leur permettent de marcher sur n'importe quelle surface. Certaines d'entre elles sont utiles pour l'homme quand elles transportent le pollen d'une fleur à l'autre, et d'autres nuisibles et porteuses de microbes, transmettant, entre autres, la malaria ou la maladie du sommeil.

**HORREUR !**
Ce personnage du film *La Mouche II* est en train de se métamorphoser peu à peu en mouche.

**SANS AILES**
Cette mouche minuscule *(Penicillidia fulvida)* est aptère. Elle vit dans la fourrure des chauves-souris et se nourrit de leur sang. La femelle donne naissance à de grosses larves qui tombent à terre pour se nymphoser.

Cousin d'Europe

*Œil*

Mouche aux yeux pédonculés

**ŒIL POUR ŒIL**
Avec ses yeux pédonculés, cette mouche mâle de Nouvelle-Guinée *(Achias rothschildiae)* impressionne les autres mâles qui, s'ils en possèdent de plus courts, s'enfuient, effrayés.

Mouche armée

*Celyphus hyacinthus*

**MIMÉTISME**
Cette petite mouche de Malaisie *(Celyphus hyacinthus)* ressemble étonnamment à un coléoptère.

**PEAU VERTE**
La couleur verte de cette mouche armée d'Amérique du Sud *(Hedriodiscus pulcher)* est due à un pigment rare, présent dans la cuticule (p. 6). Habituellement, cette couleur est créée par l'irisation.

**DE NOMBREUSES TIPULES**
Il y a environ 10 000 espèces connues de tipules. Cet *Holorusia* de Chine est l'une des plus grandes. Les plus petites espèces *(Ctenophora ornata)* vivent en Europe. Les asticots de la tipule ont une peau très épaisse et vivent habituellement dans les terrains humides et les ruisseaux bourbeux où ils se nourrissent de racines.

*Haltères*

La plus grosse tipule du monde

**LA PLUS GRASSE DES MOUCHES**
Les larves de cette mouche d'Amérique du Sud *(Pantophthalmus bellardii)* naissent dans le bois vivant. On sait peu de chose de l'adulte et il serait possible qu'il ne se nourrisse jamais.

**MANGEURS D'EXCRÉMENTS**
On voit souvent les scatophages, telle cette mouche européenne *(Scathophaga stercoraria)*, sur les bouses de vache fraîches. Les mouches domestiques *(Musca domestica)* pondent aussi sur les excréments d'animaux, sur la viande et sur les légumes en décomposition.

Scatophage

Mouche domestique

**SANS PÉDONCULE**
Cette mouche africaine *(Clitodoca fenestralis)* est parente de la mouche de Nouvelle-Guinée du genre *Achias*, ci-dessus. Les motifs de ses ailes et sa tête rouge jouent peut-être un rôle dans la parade nuptiale.

**MANGEURS DE CHAIR FRAÎCHE**
La femelle de cet œstre de l'homme *(Dermatobia hominis)* pond ses œufs sur un moustique. Quand celui-ci pique un homme, les œufs éclosent et les larves de la mouche creusent sous la peau des tunnels, où elles vivent environ six semaines. Les mouches bleues *(Cynomya mortuorum)* se reproduisent dans la viande pourrie et transmettent des maladies.

Œstre de l'homme

Mouche bleue

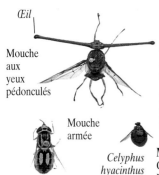

## DE LA FORCE VIENT LA DOUCEUR
Selon l'Ancien Testament, Samson a vu un essaim d'abeilles dans le cadavre d'un lion. En réalité, ces insectes n'étaient certainement pas des abeilles, mais des éristales jaune et brun. Ces mouches ressemblent aux abeilles, mais leurs larves vivent et se métamorphosent dans l'eau putride.

## ASTICOTS CARNIVORES
Cette mouche africaine (Ligyra venus) se nourrit de nectar, mais ses asticots mangent les larves des guêpes dans leurs nids.

*Longue langue pour le nectar*

## MANGEUR D'ARAIGNÉE
Les asticots de cette mouche (Lasia corvina) sautent sur les tarentules et les dévorent lentement.

## UN RÉGIME VARIÉ
Ce taon du Népal (Philoliche longirostris) a des pièces buccales en forme de lame pour sucer le sang et une longue langue pour aspirer le nectar.

## MOUCHES EN FUSEAU
Cette mouche fusiforme de Java (une espèce de Systropus) absorbe le nectar, tandis que ses larves se nourrissent de chenilles de phalènes vivantes.

## UNE MOUCHE PLATE
Cette mouche d'Argentine (Trichophthalma philippii) boit le nectar, mais ses asticots se nourrissent de scarabées vivants.

*Pièces buccales courtes en lames pour sucer le sang*

Taon du Népal (Philoliche longirostris)

*Langue semblable à celle d'une abeille pour extraire le nectar*

## MANGEUSES D'ABEILLES
On confondrait aisément ce bombylidé européen (Bombylius discolor) avec un bourdon se nourrissant de nectar. Ses asticots, eux, mangent les larves des abeilles solitaires.

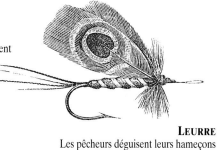

## LEURRE
Les pêcheurs déguisent leurs hameçons en fausses mouches faites de plumes et de ficelle. Flottant à la surface, elles trompent le poisson qui croit voir un insecte noyé.

## DES PARASITES UTILES
Il y a plusieurs milliers d'espèces de tachinidés dans le monde. Leurs asticots sont tous des parasites qui se nourrissent d'autres insectes vivants. Pour cette raison, on peut s'en servir pour contrôler les nuisibles. L'espèce jaune d'Amérique (Paradejeeria rutiloides) s'attaque aux chenilles des papillons de nuit. L'espèce d'un vert brillant de Nouvelle-Guinée (Formosia moneta) se nourrit de larves de scarabées.

*Syrphus torvus*

*Volucella zonaria*

## UN VOL TRÈS RAPIDE
Les syrphes ont l'étonnante capacité de planer, quasiment immobiles, puis de démarrer comme une flèche, presque trop vite pour qu'on les voie. La plupart des espèces ont l'abdomen jaune et noir. Les asticots des plus petites (Syrphus torvus) sont aimés des jardiniers d'Europe parce qu'ils se nourrissent de pucerons. Ceux de la Volucella zonaria récupèrent la nourriture tombée sous les nids de guêpes.

Cet asilidé (Dioctria linearis) se nourrit d'un ichneumon qu'il a capturé.

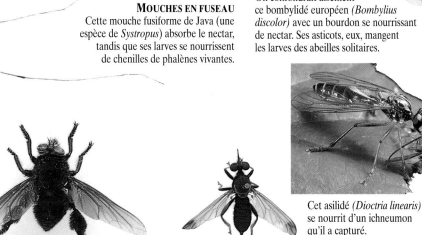

*Mallophora atra*

*Padigolaphria flammipennis*

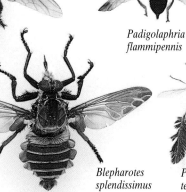

*Blepharotes splendissimus*

*Pegesimallus teratodes*

*Pattes empanachées pour attirer une femelle*

*Aile*

*Patte*

## LA PLUS GRANDE MOUCHE
Ce mydas d'Afrique du Sud (Mydas heros) est probablement la plus grande mouche du monde. Ses asticots vivent dans les nids de fourmis où ils se nourrissent de coléoptères qui, eux-mêmes, récupèrent les détritus laissés par les fourmis.

## TOUT EST BON
Les membres de la famille des asilidés ont l'habitude de se percher sur un poste de guet d'où ils attaquent tout insecte volant de leur taille, y compris les membres de leur propre espèce. De grandes espèces noires d'Amérique du Sud (Mallophora atra) imitent les abeilles menuisières (p. 38) pour mieux les attaquer. Ce remarquable mâle avec des pattes empanachées (Pegesimallus teratodes) vit en Afrique. Il agite probablement les pattes pour essayer d'attirer une femelle.

# LES PAPILLONS VOLENT DE JOUR COMME DE NUIT

On connaît environ 200 000 espèces de papillons, divisées en deux groupes : les Rhopalocères, ou papillons de jour, et les Hétérocères, ou papillons de nuit. On les distingue par leur vol, diurne pour les premiers, nocturne pour les seconds, ainsi que par leurs couleurs, vives pour les uns, plus ternes généralement pour les autres.

Ce petit sphynx-gazé européen *(Hemaris tityus)* a l'abdomen rayé comme une abeille piqueuse.

Au repos, les papillons de jour ramènent leurs ailes verticalement sur le dos tandis que les nocturnes les gardent à plat. Leurs antennes permettent également de les différencier : terminées par une massue pour les diurnes, ayant l'aspect d'une plume pour les nocturnes. Mais tous sont recouverts de poils aplatis disposés comme des tuiles, et tous subissent une métamorphose complète (pp. 24-25).

*Jemadia hewitsonii*

*Antennes crochues*

*Amenis baroni*

### DE JOUR OU DE NUIT ?
Les hespéridés sont à mi-chemin entre le papillon de jour et celui de nuit. Leurs antennes sont épaisses, crochues mais non renflées à l'extrémité comme celles des diurnes. Les adultes sont généralement bruns – à l'inverse de ces deux espèces du Pérou aux couleurs vives.

### DE LA COULEUR
C'est la manière dont la lumière anime les minuscules écailles bleues recouvrant ses ailes qui prête à ce nymphalidé *(Asterope sapphira)* un bleu aussi intense.

*Antennes plumeuses*

### DÉPLACEMENT ALTERNATIF
Les chenilles des géométridés sont appelées « arpenteuses ». Les adultes de beaucoup d'espèces, comme cette boarmie du chêne, originaire d'Europe *(Boarmia roburaria)*, qui vole de nuit, sont camouflés de vert pâle ou de marron clair. Les couleurs vives du *Milionia welskei* d'Asie du Sud-Est indiquent qu'il vole de jour et n'est pas très apprécié des oiseaux.

### NE ME MANGE PAS !
Chez les insectes, une livrée rouge, jaune et noir indique souvent qu'un individu est venimeux. Cette zygène diurne d'Asie du Sud-Est *(Campylotes desgodinsi)* échappe probablement aux oiseaux à cause de ses couleurs.

### DRÔLES DE PATTES
Certains papillons se servent de leurs pattes antérieures non pour marcher mais pour se nettoyer les yeux.

### LA MAURE
Durant la journée, grâce à ses couleurs ternes, ce papillon de nuit d'Europe *(Mormo maura)* se confond avec les branchages où il se repose.

Uranie

### BELLES DE JOUR
On prend souvent les uranidés, papillons de nuit tropicaux aux ailes irisées, pour des papillons de jour, parce qu'ils volent de jour et qu'ils effectuent quelquefois de grandes migrations, telle l'uranie de Madagascar *(Chrysiridia ripheus)*. Les ailes postérieures de cette espèce bleu et blanc de Nouvelle-Guinée *(Alcides aurora)* ressemblent à des éventails.

*Alcides aurora*

*Ailes postérieures en éventail*

*Antenne plumeuse de papillon de nuit*

*Ocelles*

### LE PAPILLON VITRAIL
Les ocelles des ailes de ce saturnidé africain *(Argema mimosae)* font probablement peur aux oiseaux prédateurs et, s'il est attaqué, ses longues queues alaires se cassent. La couleur verte pâlit vite à la lumière. Autrefois, les Zoulous ornaient leurs chevilles avec les cocons argentés de cette espèce africaine.

*Les queues des ailes postérieures se brisent si le papillon est attaqué.*

**L'UNE CONTRE L'AUTRE**
Au repos, les ailes des Rhopalocères sont relevées au-dessus du dos.

*Dessous du Diaethria marchalii*

*Dessus du Diaethria marchalii*

**OÙ EST-IL PASSÉ ?**
Ces deux diurnes d'Amérique du Sud *(Diaethria marchalii)* sont identiques – celui de gauche est vu de dessous, celui de droite de dessus. Un oiseau attiré par les taches bleues les perdra de vue dès que le papillon se posera et repliera ses ailes.

*Ecaille odorante*

**MÂLES PARFUMÉS**
Ce papillon de jour très coloré d'Amérique du Sud *(Agrias claudina sardanapalus)* se nourrit de fruits pourris. Les mâles ont, à l'envers de l'aile postérieure, des écailles odorantes jaune vif qui attirent les femelles.

*La rareté des écailles rend les ailes transparentes.*

**TRANSPARENCE**
Ce papillon sud-américain *(Cithaerias esmeralda)* possède des ailes transparentes, ce qui complique la tâche pour les prédateurs.

**LES CHRYSALIDES**
Après une série de mues, la chenille se nymphose puis se transforme en chrysalide qui, lorsqu'elle se fend, libère l'adulte.

**MENACÉ D'EXTINCTION**
La destruction des forêts d'Indonésie va bientôt entraîner la disparition de ce machaon *(Papilio karna carnatus)* (p. 63).

**LES CHENILLES**
Les œufs des papillons donnent naissance à des chenilles.

*La queue détourne le prédateur des organes vitaux.*

**BEAUTÉ FAROUCHE**
Les ailes postérieures particulièrement allongées des *Papilios*, qui sont parmi les plus beaux papillons du monde, ressemblent parfois à la queue fourchue d'une hirondelle. Grâce aux extrémités renflées de ses ailes postérieures, ce papillon de jour *(Pachliopta coon coon)* vole d'une façon imprévisible et sa capture est délicate.

Ornithoptère mâle

*Abdomen*

Ornithoptère femelle

*Petites taches métalliques*

**POUR FAIRE DIVERSION**
Ces papillons ont souvent des taches métalliques sur les ailes. Les six queues de cette espèce *(Helicopis cupido)* servent à tromper les prédateurs.

**PILE ET FACE**
Le rouge intense de ce papillon *(Cymothoe coccinata)* le rend moins visible dans la lumière colorée de la forêt tropicale de l'Afrique de l'Ouest. En dessous, il est brun comme une feuille morte.

**UN ORNITHOPTÈRE CONVOITÉ**
Le nom latin de cette espèce, *Ornithoptera croesus,* fait allusion aux couleurs dorées du mâle. La femelle, l'un des plus grands papillons connus, passe presque toute sa vie en haut des arbres. L'avenir de cette espèce est menacé, car les forêts où elle vit sont peu à peu abattues (p. 63).

35

# LES PUNAISES SE PLANTENT PARTOUT

Les punaises constituent l'ordre des Hétéroptères et possèdent toutes un long rostre articulé avec lequel elles percent et sucent. La plupart des punaises, tels les pucerons ou les cochenilles, se nourrissent de la sève des plantes. D'autres espèces sucent les sucs des autres insectes des mares, comme la notonecte et l'araignée d'eau (pp. 48-49), et quelques-unes percent la peau de l'homme pour en extraire le sang – elles peuvent même, comme les réduves, transmettre de dangereuses maladies. Les ailes antérieures de nombreuses punaises, cornées à la base, ont des extrémités minces et imbriquées qui recouvrent les ailes postérieures, fragiles et membraneuses. Tous les Hétéroptères subissent une métamorphose incomplète (pp. 26-29) et les jeunes, plus petits que leurs parents et dépourvus d'ailes, leur ressemblent.

*Rostre recourbé*

**ILS SIFFLENT**
Les réduves, comme ce *Rhinocoris alluaudi*, ont un tube nutritif très recourbé qu'ils peuvent frotter contre une structure en forme de lime, placée sous leur corps, afin de produire des sifflements.

**SANS MÂLES**
Beaucoup de pucerons sont vivipares et se reproduisent par parthénogenèse – reproduction sans fécondation.

*Locris* adulte

**CRACHAT DE COUCOU**
Les larves de cicadelles sécrètent une matière écumeuse appelée « crachat de coucou » qui les protège de la chaleur et des prédateurs.

**ÉTRANGE PLUIE**
Cette cicadelle africaine (du genre *Locris*) sécrète tant de mousse dans les grands arbres où il vit qu'elle tombe en pluie sur le sol.

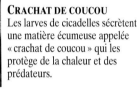

**IMPITOYABLE**
Cette cicadelle (*Graphocephala fennahi*) se nourrit de feuilles de rhododendron. D'autres espèces de cicadelles, généralement vertes, abîment les feuilles de nombreuses plantes, dont le rosier et le cotonnier.

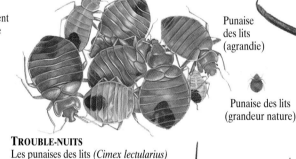

Punaise des lits (agrandie)

Punaise des lits (grandeur nature)

*Œil*

*Fortes pattes antérieures pour attraper de petites bêtes aquatiques*

**TROUBLE-NUITS**
Les punaises des lits (*Cimex lectularius*) appartiennent à une petite famille de suceurs de sang dont la plupart vivent dans les perchoirs et les nids des chauves-souris et des oiseaux. Elles se nourrissent toutes de sang bien qu'elles puissent jeûner plusieurs mois, et se reproduisent très vite dans les lieux chauffés.

**PERLES TERRESTRES**
Beaucoup de punaises sont aptères et ne ressemblent guère à des insectes. Elles sont en fait la forme enkystée de punaises qui se nourrissent de racines.

Perles terrestres (*Margarodes formicarum*)

*Ceratocoris horni*

*Pattes pleines de piquants, utiles pour se battre*

*Piquants pour dissuader les oiseaux*

*Hemikyptha marginata*

*Thasus acutangulus*

Cochenilles (*Coccus hesperidum*)

**ÉTRANGES PHYTOPHAGES**
Ces punaises ont souvent des formes bizarres et des proportions très variées : quelques-unes ont de drôles de pattes, couvertes de piquants, comme celle à gauche (*Thasus acutangulus*). D'autres encore possèdent des formes étonnantes (*Hemikyptha marginata*), voire des cornes (*Ceratocoris horni*).

**SUCEURS DE SÈVE**
Les aleurodes et cochenilles sont des punaises dont les femelles aptères ne sont guère plus que des sacs suceurs de sève.

Aleurodes (*Planococcus citri*)

**ELLES STRIDULENT**
Comme cette espèce indienne (*Angamiana aetherea*), les cigales sont célèbres pour la manière dont les mâles attirent les femelles par leur chant. Les larves (pp. 26-27) vivent sous terre en suçant la sève des racines – en Amérique du Nord, une espèce met 17 ans à devenir adulte ! Des populations entières émergent en même temps du sol, grimpent aux arbres et chantent durant quelques semaines.

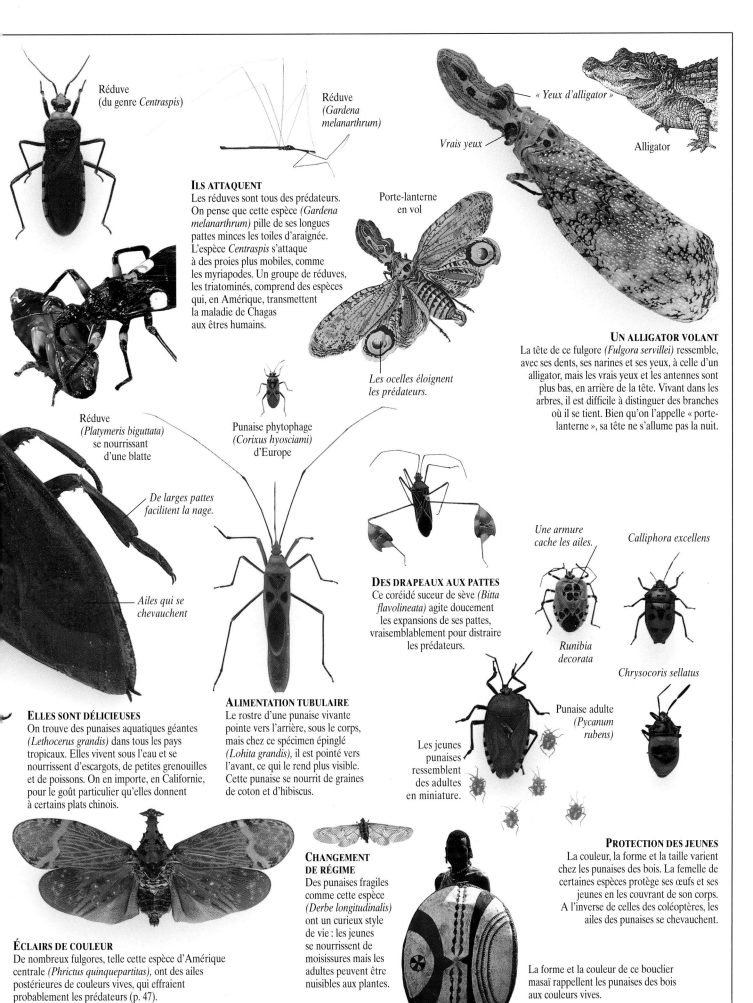

Réduve
(du genre *Centraspis*)

Réduve
(*Gardena
melanarthrum*)

*« Yeux d'alligator »*

*Vrais yeux*

Alligator

## ILS ATTAQUENT

Les réduves sont tous des prédateurs.
On pense que cette espèce (*Gardena
melanarthrum*) pille de ses longues
pattes minces les toiles d'araignée.
L'espèce *Centraspis* s'attaque
à des proies plus mobiles, comme
les myriapodes. Un groupe de réduves,
les triatominés, comprend des espèces
qui, en Amérique, transmettent
la maladie de Chagas
aux êtres humains.

Porte-lanterne
en vol

*Les ocelles éloignent
les prédateurs.*

## UN ALLIGATOR VOLANT

La tête de ce fulgore (*Fulgora servillei*) ressemble,
avec ses dents, ses narines et ses yeux, à celle d'un
alligator, mais les vrais yeux et les antennes sont
plus bas, en arrière de la tête. Vivant dans les
arbres, il est difficile à distinguer des branches
où il se tient. Bien qu'on l'appelle « porte-
lanterne », sa tête ne s'allume pas la nuit.

Réduve
(*Platymeris biguttata*)
se nourrissant
d'une blatte

Punaise phytophage
(*Corixus hyosciami*)
d'Europe

*De larges pattes
facilitent la nage.*

*Ailes qui se
chevauchent*

## DES DRAPEAUX AUX PATTES

Ce coréidé suceur de sève (*Bitta
flavolineata*) agite doucement
les expansions de ses pattes,
vraisemblablement pour distraire
les prédateurs.

*Une armure
cache les ailes.*

*Calliphora excellens*

*Runibia
decorata*

*Chrysocoris sellatus*

## ELLES SONT DÉLICIEUSES

On trouve des punaises aquatiques géantes
(*Lethocerus grandis*) dans tous les pays
tropicaux. Elles vivent sous l'eau et se
nourrissent d'escargots, de petites grenouilles
et de poissons. On en importe, en Californie,
pour le goût particulier qu'elles donnent
à certains plats chinois.

## ALIMENTATION TUBULAIRE

Le rostre d'une punaise vivante
pointe vers l'arrière, sous le corps,
mais chez ce spécimen épinglé
(*Lohita grandis*), il est pointé vers
l'avant, ce qui le rend plus visible.
Cette punaise se nourrit de graines
de coton et d'hibiscus.

Punaise adulte
(*Pycanum
rubens*)

Les jeunes
punaises
ressemblent
des adultes
en miniature.

## PROTECTION DES JEUNES

La couleur, la forme et la taille varient
chez les punaises des bois. La femelle de
certaines espèces protège ses œufs et ses
jeunes en les couvrant de son corps.
A l'inverse de celles des coléoptères, les
ailes des punaises se chevauchent.

## CHANGEMENT
DE RÉGIME

Des punaises fragiles
comme cette espèce
(*Derbe longitudinalis*)
ont un curieux style
de vie : les jeunes
se nourrissent de
moisissures mais les
adultes peuvent être
nuisibles aux plantes.

## ÉCLAIRS DE COULEUR

De nombreux fulgores, telle cette espèce d'Amérique
centrale (*Phrictus quinquepartitas*), ont des ailes
postérieures de couleurs vives, qui effraient
probablement les prédateurs (p. 47).

La forme et la couleur de ce bouclier
masaï rappellent les punaises des bois
aux couleurs vives.

# CHEZ LES GUÊPES, LA TAILLE FINE EST À LA MODE

Les guêpes, les abeilles et les fourmis forment l'un des plus grands groupes d'insectes, les Hyménoptères, comprenant environ 200 000 espèces. Et l'on en découvre sans cesse de nouvelles, qui, à l'exception des symphites, sont aisément identifiables à leur « taille » fine. Nombreuses sont celles dont l'organe de la ponte placé à l'extrémité de l'abdomen, l'ovipositeur, s'est transformé en aiguillon (pp. 46-47). Plusieurs espèces, dites « sociales », vivent en communauté dans des nids qu'elles bâtissent et dans lesquels elles élèvent leurs couvées (pp. 52-55). Depuis les temps les plus reculés, l'homme a élevé des abeilles pour leur miel et a été fasciné par la société complexe des fourmis (pp. 56-57), mais il connaît beaucoup moins les guêpes. Et pourtant, celles-ci protègent les cultures des larves et des chenilles et sont d'excellents pollinisateurs, comme les abeilles, grâce auxquelles fruits et légumes prospèrent.

**UNE TAILLE DE GUÊPE**
A la fin du XIXe siècle, il était à la mode, pour les femmes, d'avoir une taille de guêpe.

Mâle

**UTILES OU PAS ?**
En été, les guêpes qui nichent dans les arbres (*Dolichovespula sylvestris*) aident les jardiniers en tuant les chenilles dont se nourrissent leurs larves. En automne, quand il n'y a plus de larves, elles cherchent des aliments sucrés et deviennent alors nuisibles.

Femelle

Ouvrière

**ÇA PIQUE !**
L'ovipositeur s'est transformé en aiguillon chez de nombreuses espèces d'abeilles et de guêpes. L'aiguillon photographié ci-dessus est grossi plusieurs fois.

Bourdon mâle

**DANGEREUX**
Les frelons *(Vespa crabo)* sont les plus grandes guêpes d'Europe et leur piqûre est très douloureuse. Leur reine hiverne puis édifie un nid au printemps. De ses premiers œufs sortent des ouvrières femelles qui agrandissent l'édifice et procurent à manger aux larves et à la reine qui passe tout son temps à pondre. Les mâles, eux, ne naissent que bien plus tard, avec les reines de la saison suivante.

**TUEUR DE MYGALES**
Le pepsis *(Pepsis heros)* est la plus grande guêpe du monde. La femelle capture une grande araignée et la paralyse en la piquant. Puis elle pond un œuf dans le corps immobile, mais toujours vivant. Quand l'œuf éclôt, la larve dispose ainsi d'une réserve de nourriture fraîche.

*Aglae caerulea*

**PARASITES**
La plupart des abeilles vivent en solitaire et ne construisent pas de nids (pp. 58-59). L'*Aglae caerulea* dépose ses œufs dans les cellules de cire construites par les *Euglossa* et ses larves dévorent les réserves et les larves de leurs hôtes.

**FABRICANTS DE PARFUM**
Les bourdons mâles d'Afrique du Sud recueillent dans les fleurs d'orchidées une substance qu'ils transforment en parfum pour attirer les femelles.

*Euglossa assarophora*

*Euglossa intersecta*

**UNE GRANDE TAILLE**
Cette abeille charpentière d'Asie *(Xylocopa laticeps)* est la plus grosse abeille du monde. Elle creuse des tunnels dans le bois pourri pour y faire son nid.

**FAMILIERS**
Les bourdons sont des insectes sociaux. On les trouve dans toutes les régions tempérées de l'hémisphère Nord. Ce bourdon des montagnes *(Bombus monticola)* niche dans un terrier, souvent près d'un buisson de myrtilles.

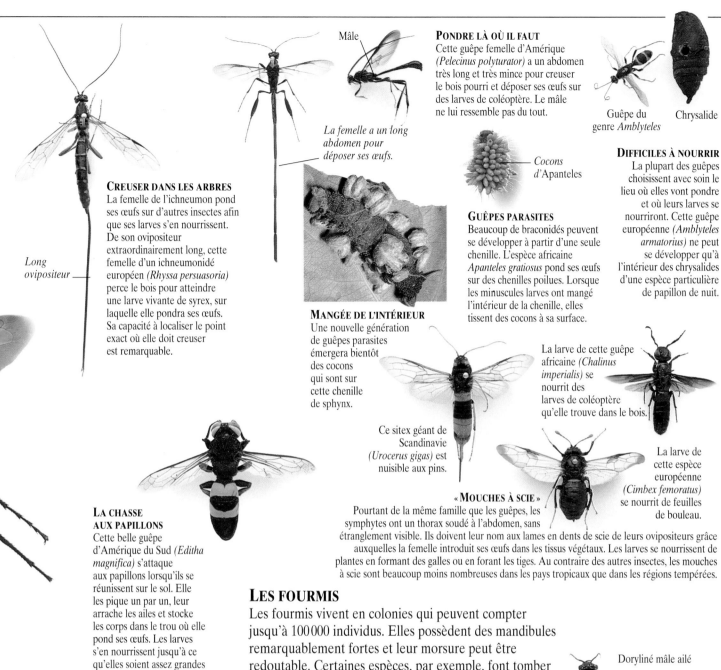

**Mâle**

**PONDRE LÀ OÙ IL FAUT**
Cette guêpe femelle d'Amérique
*(Pelecinus polyturator)* a un abdomen
très long et très mince pour creuser
le bois pourri et déposer ses œufs sur
des larves de coléoptère. Le mâle
ne lui ressemble pas du tout.

Guêpe du          Chrysalide
genre *Amblyteles*

*La femelle a un long*
*abdomen pour*
*déposer ses œufs.*

Cocons
d'Apanteles

**DIFFICILES À NOURRIR**
La plupart des guêpes
choisissent avec soin le
lieu où elles vont pondre
et où leurs larves se
nourriront. Cette guêpe
européenne *(Amblyteles*
*armatorius)* ne peut
se développer qu'à
l'intérieur des chrysalides
d'une espèce particulière
de papillon de nuit.

**CREUSER DANS LES ARBRES**
La femelle de l'ichneumon pond
ses œufs sur d'autres insectes afin
que ses larves s'en nourrissent.
De son ovipositeur
extraordinairement long, cette
femelle d'un ichneumonidé
européen *(Rhyssa persuasoria)*
perce le bois pour atteindre
une larve vivante de syrex, sur
laquelle elle pondra ses œufs.
Sa capacité à localiser le point
exact où elle doit creuser
est remarquable.

**GUÊPES PARASITES**
Beaucoup de braconidés peuvent
se développer à partir d'une seule
chenille. L'espèce africaine
*Apanteles gratiosus* pond ses œufs
sur des chenilles poilues. Lorsque
les minuscules larves ont mangé
l'intérieur de la chenille, elles
tissent des cocons à sa surface.

*Long*
*ovipositeur*

**MANGÉE DE L'INTÉRIEUR**
Une nouvelle génération
de guêpes parasites
émergera bientôt
des cocons
qui sont sur
cette chenille
de sphynx.

La larve de cette guêpe
africaine *(Chalinus*
*imperialis)* se
nourrit des
larves de coléoptère
qu'elle trouve dans le bois.

Ce sitex géant de
Scandinavie
*(Urocerus gigas)* est
nuisible aux pins.

La larve de
cette espèce
européenne
*(Cimbex femoratus)*
se nourrit de feuilles
de bouleau.

**« MOUCHES À SCIE »**
Pourtant de la même famille que les guêpes, les
symphytes ont un thorax soudé à l'abdomen, sans
étranglement visible. Ils doivent leur nom aux lames en dents de scie de leurs ovipositeurs grâce
auxquelles la femelle introduit ses œufs dans les tissus végétaux. Les larves se nourrissent de
plantes en formant des galles ou en forant les tiges. Au contraire des autres insectes, les mouches
à scie sont beaucoup moins nombreuses dans les pays tropicaux que dans les régions tempérées.

**LA CHASSE**
**AUX PAPILLONS**
Cette belle guêpe
d'Amérique du Sud *(Editha*
*magnifica)* s'attaque
aux papillons lorsqu'ils se
réunissent sur le sol. Elle
les pique un par un, leur
arrache les ailes et stocke
les corps dans le trou où elle
pond ses œufs. Les larves
s'en nourrissent jusqu'à ce
qu'elles soient assez grandes
pour se nymphoser.

# LES FOURMIS

Les fourmis vivent en colonies qui peuvent compter
jusqu'à 100 000 individus. Elles possèdent des mandibules
remarquablement fortes et leur morsure peut être
redoutable. Certaines espèces, par exemple, font tomber
quelques gouttes d'acide formique de leur
abdomen dans la blessure, ce qui a pour
effet d'accroître la douleur.

Doryliné mâle ailé

**« SAUCISSES**
**VOLANTES »**
On surnomme ainsi les
dorylinés mâles parce
qu'ils ont des corps longs
et gras comme des saucisses.

*Dinoponera*
*grandis*

Doryliné
ouvrière

Reine
de doryliné

**CHASSERESSE**
Cette guêpe aux couleurs vives *(Chlorion lobatum)*,
originaire de l'Inde et de Bornéo, attrape et pique
des grillons dans leurs loges ou à terre. Ses larves se
nourrissent du cadavre de l'insecte tué.

**À ÉVITER**
Les dinoponeras
d'Amérique du Sud sont
les plus grandes fourmis
ouvrières que l'on
connaisse. Elles vivent
en petites colonies,
mais chassent en solitaire.

**DES NOMADES**
Rassemblées en
grandes colonies,
ces dorylinés
africaines *(Dorylus*
*nigricans)* établissent des
campements temporaires, ou
bivouacs, lorsque la reine pond des œufs.
Puis elles se déplacent en emportant leurs
larves. Elles partent périodiquement en
chasse, mangeant tout ce qu'elles trouvent.

Les fourmis
communiquent entre elles
par le toucher et l'odorat.

JIMINY LE CRIQUET
Le Jiminy de Pinocchio
est sûrement le seul
criquet du monde
ayant quatre pattes !

# DES INSECTES PAR MILLIERS

Les trois quarts des espèces d'insectes sont classés dans cinq grands ordres : les Coléoptères, les Hémiptères (punaises), les Diptères (mouches), les Hyménoptères (guêpes, fourmis et abeilles) et les Lépidoptères (papillons). Les autres sont répartis dans une quinzaine d'ordres, représentés ici par les cafards, les perce-oreilles, les fourmilions, les libellules, les mantes, les sauterelles et les phasmes. Mais il existe aussi plusieurs ordres d'espèces beaucoup plus petites comprenant, entre autres, les psoques, qui vivent dans les denrées alimentaires, les poux des oiseaux, les thrips, souvent nuisibles aux fleurs, les puces et les poux, qui sucent le sang aussi bien des êtres humains que des animaux.

**LES SAUTERELLES DE L'ÎLE STEPHENS**
Ces énormes insectes de Nouvelle-Zélande sont en voie de disparition et ne subsistent plus que dans quelques petites îles.

Sauterelle de l'île Stephens (*Deinacrida rugosa*)

Un phasme au corps épais (*Eurycantha calcarata*) de Nouvelle-Guinée

Antenne

*Patte mince articulée*

**DES BRINDILLES VIVANTES**
Les phasmes, verts ou bruns, sont longs et minces avec des pattes grêles et des antennes. Le jour, ils échappent aux prédateurs en restant suspendus, presque immobiles, dans les buissons et les arbres aux brindilles desquels ils ressemblent (p. 45). La nuit, ils se déplacent et mangent des feuilles. Les mâles de nombreuses espèces ont des ailes, mais les femelles sont souvent aptères.

*Aile*

Un phasme mâle grêle de Nouvelle-Guinée (*Anchiale maculata*)

*Des piquants aux pattes pour se défendre*

**PRIER POUR MANGER**
Les mantes religieuses sont souvent aussi minces que les phasmes. Beaucoup d'espèces sont camouflées en vert brillant ou en brun terne (p. 45). Elles mangent d'autres insectes qu'elles saisissent avec leurs pattes antérieures ravisseuses.

*L'insecte, pattes antérieures jointes, a l'air de prier.*

Mante religieuse d'Afrique (*Sibylla pretiosa*)

*De fortes pattes postérieures permettent aux puces de sauter sur de grandes distances.*

Puce

**LES PUCES**
Toutes les puces adultes sucent le sang, mais chaque espèce a son animal de prédilection. Si elle ne trouve pas sa proie favorite, la puce s'attaquera à un être humain. Les larves, blanches et minuscules, se nourrissent de matières en décomposition, dans les nids et les moquettes. Les adultes peuvent survivre longtemps sans manger.

*Sauterelle cachée sur des branches couvertes de lichen*

**UNE TECHNIQUE DU CHANT**
Pour attirer les femelles, les sauterelles mâles produisent des sons, en frottant leurs pattes postérieures contre le bord corné des ailes antérieures. Cette sauterelle africaine vert pâle (*Physemacris variolosa*) a un abdomen particulièrement renflé, qui fait office de tambour. D'autres, telle cette espèce de Malaisie (*Trachyzulpha fruhstorferi*), « chantent » en frottant leurs deux ailes antérieures l'une contre l'autre (p. 12).

*L'abdomen renflé sert de tambour.*

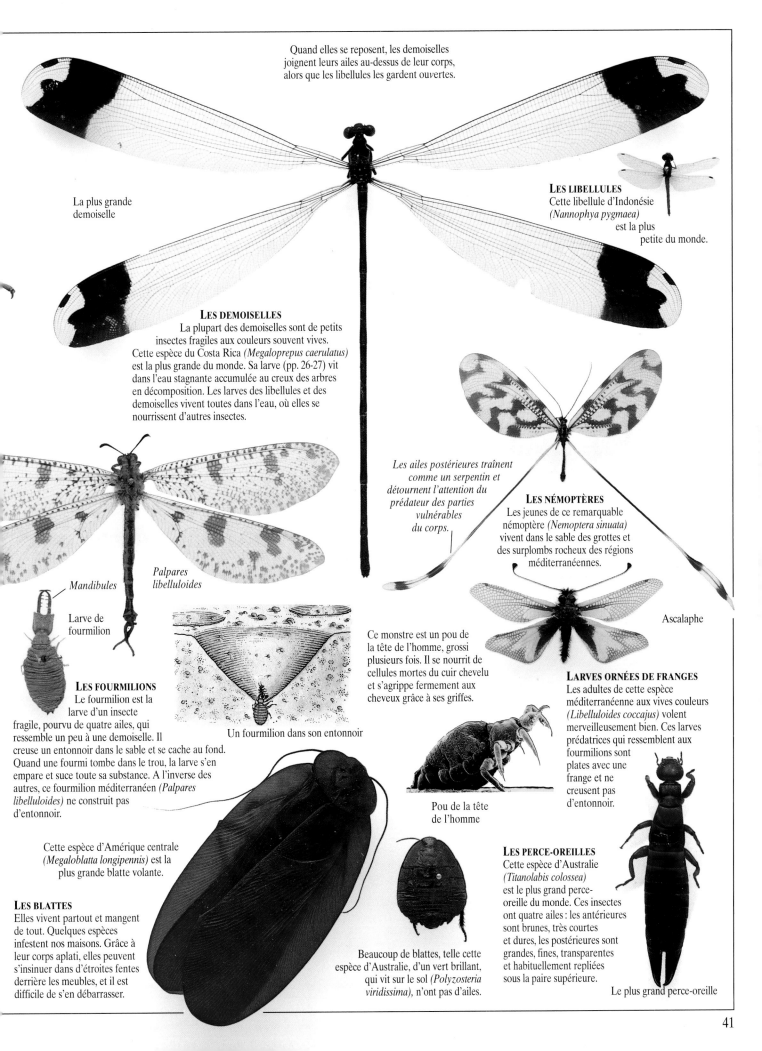

Quand elles se reposent, les demoiselles joignent leurs ailes au-dessus de leur corps, alors que les libellules les gardent ouvertes.

La plus grande demoiselle

**LES LIBELLULES**
Cette libellule d'Indonésie *(Nannophya pygmaea)* est la plus petite du monde.

**LES DEMOISELLES**
La plupart des demoiselles sont de petits insectes fragiles aux couleurs souvent vives. Cette espèce du Costa Rica *(Megaloprepus caerulatus)* est la plus grande du monde. Sa larve (pp. 26-27) vit dans l'eau stagnante accumulée au creux des arbres en décomposition. Les larves des libellules et des demoiselles vivent toutes dans l'eau, où elles se nourrissent d'autres insectes.

*Les ailes postérieures traînent comme un serpentin et détournent l'attention du prédateur des parties vulnérables du corps.*

**LES NÉMOPTÈRES**
Les jeunes de ce remarquable némoptère *(Nemoptera sinuata)* vivent dans le sable des grottes et des surplombs rocheux des régions méditerranéennes.

*Mandibules*

*Palpares libelluloides*

Larve de fourmilion

Ascalaphe

Ce monstre est un pou de la tête de l'homme, grossi plusieurs fois. Il se nourrit de cellules mortes du cuir chevelu et s'agrippe fermement aux cheveux grâce à ses griffes.

**LES FOURMILIONS**
Le fourmilion est la larve d'un insecte fragile, pourvu de quatre ailes, qui ressemble un peu à une demoiselle. Il creuse un entonnoir dans le sable et se cache au fond. Quand une fourmi tombe dans le trou, la larve s'en empare et suce toute sa substance. A l'inverse des autres, ce fourmilion méditerranéen *(Palpares libelluloides)* ne construit pas d'entonnoir.

Un fourmilion dans son entonnoir

**LARVES ORNÉES DE FRANGES**
Les adultes de cette espèce méditerranéenne aux vives couleurs *(Libelluloides coccajus)* volent merveilleusement bien. Ces larves prédatrices qui ressemblent aux fourmilions sont plates avec une frange et ne creusent pas d'entonnoir.

Pou de la tête de l'homme

Cette espèce d'Amérique centrale *(Megaloblatta longipennis)* est la plus grande blatte volante.

**LES BLATTES**
Elles vivent partout et mangent de tout. Quelques espèces infestent nos maisons. Grâce à leur corps aplati, elles peuvent s'insinuer dans d'étroites fentes derrière les meubles, et il est difficile de s'en débarrasser.

Beaucoup de blattes, telle cette espèce d'Australie, d'un vert brillant, qui vit sur le sol *(Polyzosteria viridissima)*, n'ont pas d'ailes.

**LES PERCE-OREILLES**
Cette espèce d'Australie *(Titanolabis colossea)* est le plus grand perce-oreille du monde. Ces insectes ont quatre ailes : les antérieures sont brunes, très courtes et dures, les postérieures sont grandes, fines, transparentes et habituellement repliées sous la paire supérieure.

Le plus grand perce-oreille

# INSECTES ET PLANTES ONT ÉVOLUÉ ENSEMBLE

Dans les forêts carbonifères qui recouvraient la Terre il y a plus de 300 millions d'années, il existait très peu d'espèces différentes d'insectes. Des libellules volaient autour des zones marécageuses (pp. 48-49) mais les papillons, les punaises et les coléoptères commençaient à peine à apparaître, tout comme les arbres et les plantes à fleurs. L'évolution de ces dernières et la diversité croissante de la végétation offrirent de nouvelles possibilités aux insectes. Ainsi, certains devinrent des pollinisateurs, d'autres adoptèrent la riche nourriture fournie par les bourgeons et les graines et d'autres encore se nourrirent des feuilles et des fruits mis peu à peu à leur disposition. L'accroissement des espèces d'insectes et celui des espèces végétales semblent être allés de pair. Tout aussi importante fut l'apparition des insectes se nourrissant de végétaux décomposés et qui restituent ainsi au sol des substances nutritives, sans oublier celle des insectes prédateurs.

*Galle femelle*

*Galles mâles*

### EN FORME DE CLOU

En Australie, un groupe de larves particulièrement voraces (p. 36) forme des galles sur les eucalyptus. Celle qui est présentée à gauche est petite et ronde et possède quatre longues épines au sommet. Quand la femelle aptère est mature, un mâle ailé la féconde par un trou minuscule entre les épines. Les mâles se développent dans des galles en forme de clou.

*Coléoptère*

*Jeune coléoptère adulte*

*Coupe de la galle du coléoptère*

### FLEURS

De nombreuses fleurs sont pollinisées par les insectes.

*Tunnel creusé par la larve d'une mouche*

*Les lignes noires sont des excréments laissés par les larves.*

### DES MINES VÉGÉTALES

Les sinuosités claires de cette feuille sont dues aux minuscules larves d'une petite mouche (*Phytomyza vitalbiae*). Elles vivent entre les surfaces inférieure et supérieure de la feuille et, pour se nourrir, creusent chacune leur propre galerie de mine. Ces insectes nuisibles détruisent nombre de feuilles et peuvent même tuer des plantes saines.

### FARCIE

Ces coléoptères (*Sagra femorata*) se développent à l'intérieur de la tige enflée d'une plante grimpante. L'épaississement commence avec la ponte des œufs et augmente au fur et à mesure que les larves grandissent, jusqu'à leur nymphose.

### 1 LE BOURDON ET L'ÉGLANTINE

Les abeilles qui transportent le pollen de fleur en fleur assurent la production de graines. Les odeurs et les couleurs des fleurs attirent les abeilles et d'autres insectes pollinisateurs. Le bourdon, attiré par le parfum de l'églantine, se nourrit de son pollen et de son nectar sucré.

### 2 LA POUDRE DE POLLEN

Tandis que l'abeille aspire, avec sa grande langue, le nectar qui est au fond de l'églantine, les grains de pollen de l'étamine s'accrochent à ses poils branchus.

*Grains de pollen sur l'étamine de la fleur*

*Les minuscules taches jaunes sont des grains de pollen.*

## GALLES DE L'IF

Les cécidomyies sont de minuscules moucherons. Ils empêchent les bourgeons des ifs de se développer et forment des galles avec de petites feuilles. Chaque galle contient une seule larve de mouche *(Taxomyia taxi)* et les petites feuilles brunissent avec le temps.

*Galles d'if*

## DES BILLES SUR LES CHÊNES

Ces galles en forme de bille sont dues aux femelles parthénogénétiques d'un petit cynipidé *(Andricus kollari)*. On ne comprend pas bien leur cycle de vie et l'on connaît encore mal la « génération sexuelle » des mâles et des femelles.

Galle de chêne

## DES CERISES SUR LES CHÊNES

Des galles rouges poussent sur les feuilles des chênes lorsqu'un petit cynipidé *(Cynips quercusfolii)* pond ses œufs dans une nervure de la feuille. La galle pousse autour de la larve, lui fournissant ainsi nourriture et protection.

*La galle jeune est blanche*

## GALLE ROSE

La galle rose, ou bédégar de la rose, se forme lorsque le minuscule cynipidé *(Diplolepis rosae)* pond ses œufs sur les boutons de rose sauvage au printemps. Chaque galle contient de nombreuses larves.

## DES GALLES À LA PISTACHE

Ces galles tubulaires sont produites par les pistachiers abritant des colonies d'un puceron méditerranéen *(Baizongia pistaciae)*. Comme beaucoup d'autres espèces, chacune de ces deux générations vit sur des plants différents.

Galle de pistachier

*Feuille*

## ROSE DES VENTS

Il y a plusieurs siècles, en Perse, on croyait que ces galles roses étaient apportées par le vent, d'où leur nom de bédégar (rose des vents).

Coupe de galle

Galle

Larve dans une galle

Galle sur une feuille de chêne

Jeune larve

Larve âgée

## FRUITS INTERDITS

Ces galles ne sont produites que par des cynipidés femelles *(Cynips quercusfolii)*. En hiver, ces femelles pondent des œufs sur les bourgeons du chêne et, au printemps, les larves de ces œufs deviennent adultes. Après l'accouplement, les femelles pondent, sur les feuilles du chêne, des œufs qui formeront de nouveau des galles.

## 3 REMPLISSEZ VOS PANIERS

Le bourdon recueille les grains de pollen en se peignant. Il les met dans les petits paniers poilus qui sont sur ses pattes postérieures puis s'envole vers son nid. Les abeilles domestiques (p. 58-59) emmagasinent le pollen et le nectar dans la ruche sous forme de miel.

## EN SÉCURITÉ

Les chenilles de certains papillons s'enroulent à l'intérieur d'une feuille qu'elles attachent avec des fils de soie, avant de se nymphoser.

*Fils de soie*

## DES GROSEILLES SUR LES CHÊNES

Les cynipidés femelles *(Neuroterus quercusbaccarum)* qui pondent leurs œufs sur les chatons des chênes au printemps sont à l'origine de ces galles en forme de groseille. Chacune produit une seule larve, mâle où femelle. En été, après l'accouplement, les femelles pondent des œufs sur les feuilles du chêne. L'arbre produit un petit coussin plat, rougeâtre, appelé galle lenticulaire, autour de l'œuf. Celle-ci tombe à terre et, au printemps, des femelles en sortent pour pondre des œufs qui se développent parthénogénétiquement (p. 36).

*Minuscules paniers, remplis de pollen, des pattes postérieures*

## DES POMMES SUR LES CHÊNES

Ces galles, qui ressemblent à des pommes, se forment lorsque la femelle aptère d'un autre cynipidé *(Biorhiza pallida)* pond ses œufs sur le bourgeon d'une feuille de chêne. Les petites larves qui se développent par parthénogenèse (p. 36) donnent naissance à des adultes qui s'accouplent sur les racines des arbres. Les femelles nées sur ces dernières iront à leur tour pondre sur les bourgeons, produisant ainsi les « pommes » de l'année suivante.

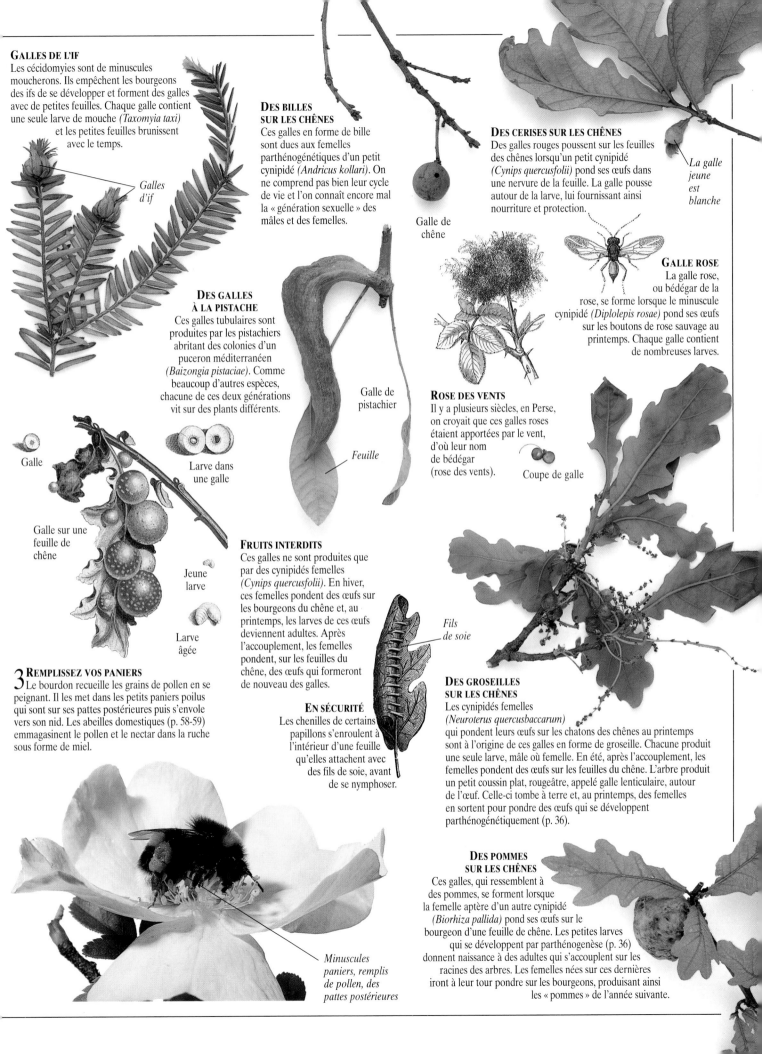

## LAISSE-MOI TRANQUILLE !
Certains insectes se protègent des prédateurs en imitant une feuille. Non seulement leurs ailes ressemblent aux feuilles, mais leurs pattes ont des expansions latérales qui en transforment les contours.

# PAS VU, PAS PRIS : LES ROIS DU CAMOUFLAGE

Les insectes sont chassés et mangés par un grand nombre d'animaux. Sans eux, en effet, les chauves-souris ne pourraient pas vivre et la moitié des oiseaux mourraient de faim. Dans certaines parties du monde, même les hommes s'en nourrissent. Pour échapper à leurs nombreux prédateurs, les insectes déploient des merveilles de mimétisme, pour ressembler à tout sauf à eux-mêmes. Certains ont des ailes dont les couleurs et les motifs tachetés imitent l'écorce sur laquelle ils vivent. D'autres, comme les phasmes, se camouflent dans les plantes, abusant totalement les oiseaux et les lézards qui, les confondant avec des brindilles ou des feuilles, s'en détournent. Ils sont le « plat principal » des grenouilles, des lézards, des musaraignes, et les renards, les singes ou les alligators en consomment éventuellement.

Flatidé sur une écorce

Flatidé

## EN PLAQUES
Bien qu'il y ait plusieurs centaines d'espèces de flatidés sous les tropiques, on sait peu de chose de leur mode de vie. Cette *Flatoides dealbatus* d'Amérique centrale se confond avec l'écorce des arbres grâce à sa couleur brun clair. Certaines espèces sont translucides, alors que d'autres ont des taches brunes et grises, de même nuance que le lichen des arbres sur lesquels ils se reposent.

## ILS SE FONT DES TACHES
Avec ses taches blanchâtres, cet élatéridé du Niger (du genre *Alaus*) se confond aisément avec une plaque de lichen, sur l'écorce de l'arbre où il a été photographié.

## FAIRE LE MORT
Les feuilles mortes restent souvent attachées aux arbres et aux buissons longtemps après s'être desséchées. Cette sauterelle du Brésil *(Ommatoptera pictifolia)* en tire profit, immobile sur une brindille : même le prédateur à la vue la plus perçante pensera que c'est une feuille morte.

*Antennes aplaties contre l'écorce*

*Nervures d'une aile semblables à celles d'une feuille*

*Ailes qui se fondent dans l'écorce*

*L'organe servant à la ponte fait penser à une lame d'épée.*

*Les pattes prêtent au corps une position de feuille.*

*Des ailes légèrement déchiquetées altèrent la silhouette de l'insecte et renforcent sa ressemblance avec une feuille morte.*

## IMITER L'ÉCORCE
Quand elle repose, aplatie contre une petite branche, cette sauterelle brun-gris de l'Inde *(Sathrophyllia rugosa)* ressemble à un morceau d'écorce. Ses ailes se fondent dans les rugosités du bois et l'insecte disparaît complètement.

## ALTÉRER LA SILHOUETTE
Un aspect essentiel du camouflage consiste à modifier les contours de ce que l'on veut cacher. Beaucoup d'insectes, comme cette mante *(Gongylus gongylodes)*, ont sur le corps et les pattes des expansions aplaties qui participent ainsi à leur camouflage.

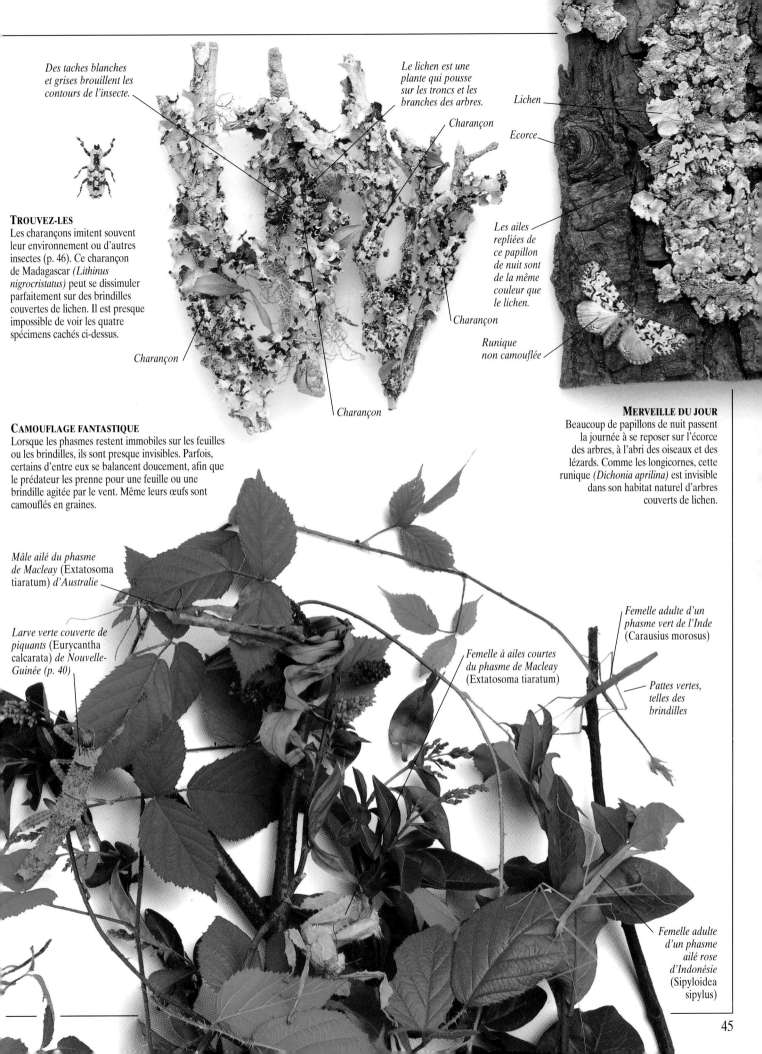

Des taches blanches
et grises brouillent les
contours de l'insecte.

Le lichen est une
plante qui pousse
sur les troncs et les
branches des arbres.

Charançon

Lichen

Ecorce

## TROUVEZ-LES

Les charançons imitent souvent
leur environnement ou d'autres
insectes (p. 46). Ce charançon
de Madagascar *(Lithinus
nigrocristatus)* peut se dissimuler
parfaitement sur des brindilles
couvertes de lichen. Il est presque
impossible de voir les quatre
spécimens cachés ci-dessus.

Les ailes
repliées de
ce papillon
de nuit sont
de la même
couleur que
le lichen.

Charançon

Charançon

Runique
non camouflée

Charançon

## CAMOUFLAGE FANTASTIQUE

Lorsque les phasmes restent immobiles sur les feuilles
ou les brindilles, ils sont presque invisibles. Parfois,
certains d'entre eux se balancent doucement, afin que
le prédateur les prenne pour une feuille ou une
brindille agitée par le vent. Même leurs œufs sont
camouflés en graines.

## MERVEILLE DU JOUR

Beaucoup de papillons de nuit passent
la journée à se reposer sur l'écorce
des arbres, à l'abri des oiseaux et des
lézards. Comme les longicornes, cette
runique *(Dichonia aprilina)* est invisible
dans son habitat naturel d'arbres
couverts de lichen.

Mâle ailé du phasme
de Macleay (Extatosoma
tiaratum) d'Australie

Larve verte couverte de
piquants (Eurycantha
calcarata) de Nouvelle-
Guinée (p. 40)

Femelle à ailes courtes
du phasme de Macleay
(Extatosoma tiaratum)

Femelle adulte d'un
phasme vert de l'Inde
(Carausius morosus)

Pattes vertes,
telles des
brindilles

Femelle adulte
d'un phasme
ailé rose
d'Indonésie
(Sipyloidea
sipylus)

# COMMENT ÉVITER D'ÊTRE MANGÉ : LE GUIDE DE LA SURVIE

Pour beaucoup d'insectes, c'est un des problèmes fondamentaux de la survie. En dehors du camouflage qui les fond parfaitement dans leur environnement (pp. 44-45), les insectes disposent de quantités de protections contre leurs nombreux ennemis. Après une expérience désagréable, un prédateur évitera les individus toxiques, non comestibles ou qui pourraient piquer et mordre. Certaines espèces imitent leurs prédateurs avec une telle application – dans leur aspect comme dans leur comportement – qu'il devient difficile de savoir qui imite qui. D'autres portent des piquants bien visibles et dissuasifs ou des couleurs vives qui déconcertent et surprennent ou encore de fortes mâchoires et des pattes puissantes qui constituent également des défenses appréciables.

*Aile antérieure à tache blanche*

*Aile antérieure courte (élytre)*

*Aile postérieure à tache blanche*

Guêpe

Longicorne

### DES COLÉOPTÈRES QUI IMITENT DES GUÊPES
Si les larves des longicornes vivent dans les troncs d'arbre, les adultes, eux, s'accouplent et pondent sur le tronc, et peuvent alors être facilement mangés par des oiseaux. C'est peut-être pour cette raison que beaucoup de longicornes imitent des insectes toxiques ou portent un admirable camouflage (pp. 44-45). Il est difficile de différencier au premier coup d'œil ce longicorne de Bornéo (*Nothopeus fasciatapennis*) de la guêpe qu'il imite (*Hemipepsis speculifer*).

### IMITER UNE FOURMI
Beaucoup de petits insectes fuient en imitant la silhouette et la course des fourmis. Ce carabique africain (*Eccoptoptera cupricollis*), inoffensif, dissuade les prédateurs en imitant une mutille, hyménoptère dont la piqûre est douloureuse.

*Une taille de fourmi*

Fourmi

Carabique

*Des pattes comme celles d'une araignée*

*Les trois parties du corps sont jointes afin de ressembler aux deux parties du corps d'une araignée.*

### IMITER UNE ARAIGNÉE
Le curieux charançon de Nouvelle-Guinée (*Arachnopus gazella*) court de-ci de-là sur l'écorce des arbres, exactement comme une petite araignée. Mais il n'a que six pattes, et non huit (p. 9).

*Aile antérieure*

*Aile postérieure*

Guêpe

*Longue aile antérieure (élytre)*

*Aile postérieure*

Longicorne

### IMITER UNE GUÊPE
Les élytres longs et minces de ce longicorne africain (*Nitocris patricia*) prêtent à ce coléoptère une « taille de guêpe » quand ils sont fermés. Celle qu'il imite (du genre *Paracollynia*) s'attaque aux larves des coléoptères, dans les tiges des plantes. La guêpe et le capricorne volent probablement de concert et reposent sur les mêmes troncs d'arbre.

*Pattes poilues*

*Les ailes anormalement courtes de ce papillon de nuit le font ressembler à un frelon.*

### ATTENTION !
Les sésies, des papillons de nuit, ressemblent souvent à des guêpes, mais quand un individu de cette espèce (*Melittia gloriosa*) tient ses pattes poilues contre son abdomen, il a l'air d'une grosse abeille, redoutée pour sa piqûre.

*Corps rayé noir et jaune, comme une guêpe*

### IMITER UN FRELON
La sésie du peuplier (*Sesia apiformis*) imite, quant à elle, remarquablement le frelon (p. 38), connu des prédateurs pour sa piqûre douloureuse.

*Ocelles*

### DES YEUX SURPRENANTS
Différents insectes, comme ce fulgore (*Fulgora laternaria*), ont de curieux dessins en forme d'œil sur leurs ailes postérieures. Ces ocelles sont généralement invisibles au repos. Mais lorsqu'on le dérange, l'insecte fait étinceler ces grands « yeux », ce qui lui donne la possibilité d'échapper au prédateur surpris et déconcerté.

Les ocelles peuvent parfois être pris pour des grands yeux d'oiseaux, tels ceux de ce grand duc.

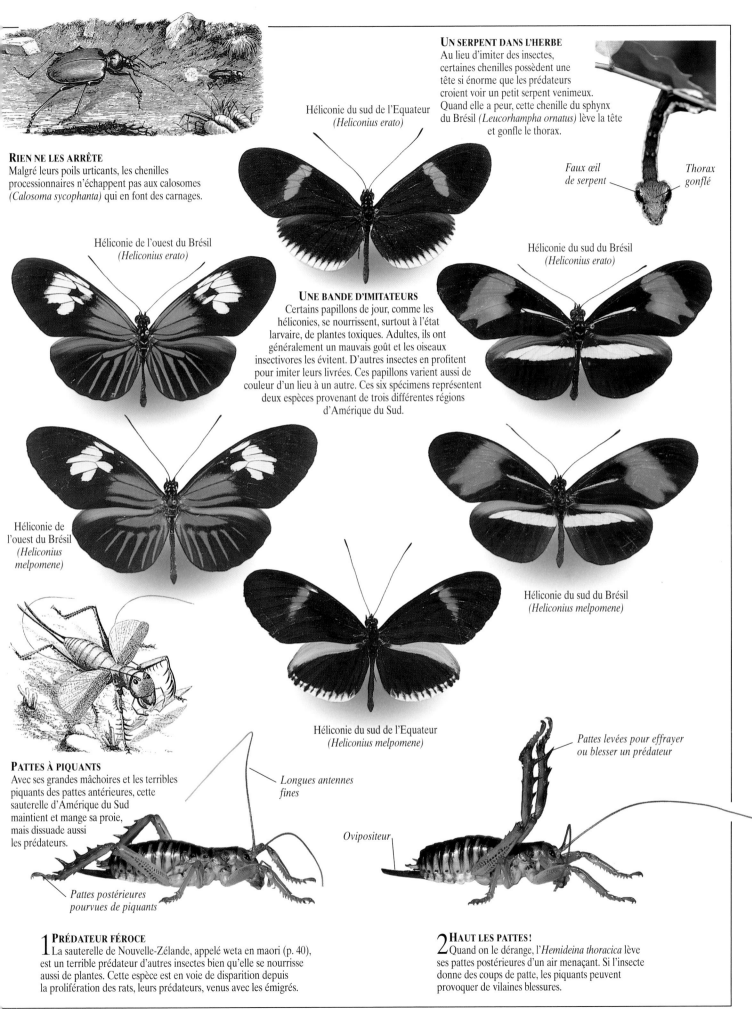

**RIEN NE LES ARRÊTE**
Malgré leurs poils urticants, les chenilles processionnaires n'échappent pas aux calosomes (*Calosoma sycophanta*) qui en font des carnages.

Héliconie du sud de l'Equateur
(*Heliconius erato*)

**UN SERPENT DANS L'HERBE**
Au lieu d'imiter des insectes, certaines chenilles possèdent une tête si énorme que les prédateurs croient voir un petit serpent venimeux. Quand elle a peur, cette chenille du sphynx du Brésil *(Leucorhampha ornatus)* lève la tête et gonfle le thorax.

*Faux œil de serpent*

*Thorax gonflé*

Héliconie de l'ouest du Brésil
(*Heliconius erato*)

Héliconie du sud du Brésil
(*Heliconius erato*)

**UNE BANDE D'IMITATEURS**
Certains papillons de jour, comme les héliconies, se nourrissent, surtout à l'état larvaire, de plantes toxiques. Adultes, ils ont généralement un mauvais goût et les oiseaux insectivores les évitent. D'autres insectes en profitent pour imiter leurs livrées. Ces papillons varient aussi de couleur d'un lieu à un autre. Ces six spécimens représentent deux espèces provenant de trois différentes régions d'Amérique du Sud.

Héliconie de l'ouest du Brésil
(*Heliconius melpomene*)

Héliconie du sud du Brésil
(*Heliconius melpomene*)

Héliconie du sud de l'Equateur
(*Heliconius melpomene*)

*Longues antennes fines*

**PATTES À PIQUANTS**
Avec ses grandes mâchoires et les terribles piquants des pattes antérieures, cette sauterelle d'Amérique du Sud maintient et mange sa proie, mais dissuade aussi les prédateurs.

*Pattes postérieures pourvues de piquants*

*Pattes levées pour effrayer ou blesser un prédateur*

*Ovipositeur*

**1 PRÉDATEUR FÉROCE**
La sauterelle de Nouvelle-Zélande, appelée weta en maori (p. 40), est un terrible prédateur d'autres insectes bien qu'elle se nourrisse aussi de plantes. Cette espèce est en voie de disparition depuis la prolifération des rats, leurs prédateurs, venus avec les émigrés.

**2 HAUT LES PATTES!**
Quand on le dérange, l'*Hemideina thoracica* lève ses pattes postérieures d'un air menaçant. Si l'insecte donne des coups de patte, les piquants peuvent provoquer de vilaines blessures.

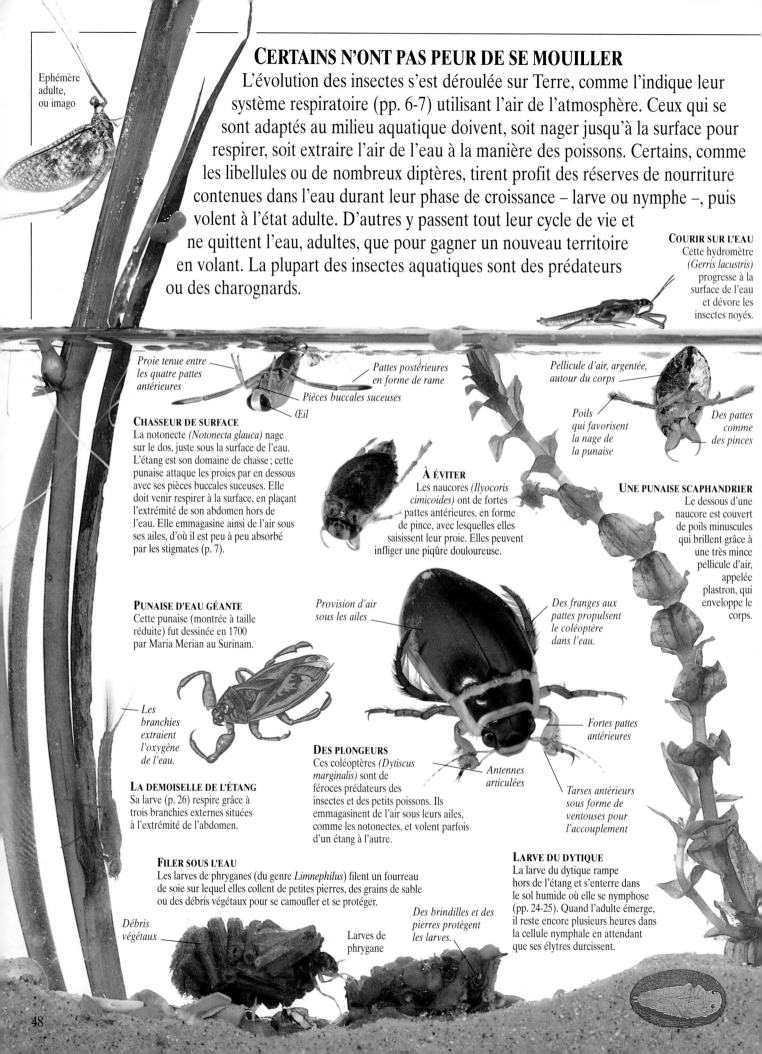

**Ephémère adulte, ou imago**

# CERTAINS N'ONT PAS PEUR DE SE MOUILLER

L'évolution des insectes s'est déroulée sur Terre, comme l'indique leur système respiratoire (pp. 6-7) utilisant l'air de l'atmosphère. Ceux qui se sont adaptés au milieu aquatique doivent, soit nager jusqu'à la surface pour respirer, soit extraire l'air de l'eau à la manière des poissons. Certains, comme les libellules ou de nombreux diptères, tirent profit des réserves de nourriture contenues dans l'eau durant leur phase de croissance – larve ou nymphe –, puis volent à l'état adulte. D'autres y passent tout leur cycle de vie et ne quittent l'eau, adultes, que pour gagner un nouveau territoire en volant. La plupart des insectes aquatiques sont des prédateurs ou des charognards.

**COURIR SUR L'EAU**
Cette hydromètre *(Gerris lacustris)* progresse à la surface de l'eau et dévore les insectes noyés.

**Proie tenue entre les quatre pattes antérieures**

**Pattes postérieures en forme de rame**

**Pièces buccales suceuses**

**Œil**

**Pellicule d'air, argentée, autour du corps**

**Poils qui favorisent la nage de la punaise**

**Des pattes comme des pinces**

**CHASSEUR DE SURFACE**
La notonecte *(Notonecta glauca)* nage sur le dos, juste sous la surface de l'eau. L'étang est son domaine de chasse ; cette punaise attaque les proies par en dessous avec ses pièces buccales suceuses. Elle doit venir respirer à la surface, en plaçant l'extrémité de son abdomen hors de l'eau. Elle emmagasine ainsi de l'air sous ses ailes, d'où il est peu à peu absorbé par les stigmates (p. 7).

**À ÉVITER**
Les naucores *(Ilyocoris cimicoides)* ont de fortes pattes antérieures, en forme de pince, avec lesquelles elles saisissent leur proie. Elles peuvent infliger une piqûre douloureuse.

**UNE PUNAISE SCAPHANDRIER**
Le dessous d'une naucore est couvert de poils minuscules qui brillent grâce à une très mince pellicule d'air, appelée plastron, qui enveloppe le corps.

**PUNAISE D'EAU GÉANTE**
Cette punaise (montrée à taille réduite) fut dessinée en 1700 par Maria Merian au Surinam.

**Provision d'air sous les ailes**

**Des franges aux pattes propulsent le coléoptère dans l'eau.**

**Les branchies extraient l'oxygène de l'eau.**

**DES PLONGEURS**
Ces coléoptères *(Dytiscus marginalis)* sont de féroces prédateurs des insectes et des petits poissons. Ils emmagasinent de l'air sous leurs ailes, comme les notonectes, et volent parfois d'un étang à l'autre.

**Fortes pattes antérieures**

**Antennes articulées**

**Tarses antérieurs sous forme de ventouses pour l'accouplement**

**LA DEMOISELLE DE L'ÉTANG**
Sa larve (p. 26) respire grâce à trois branchies externes situées à l'extrémité de l'abdomen.

**FILER SOUS L'EAU**
Les larves de phryganes (du genre *Limnephilus*) filent un fourreau de soie sur lequel elles collent de petites pierres, des grains de sable ou des débris végétaux pour se camoufler et se protéger.

**LARVE DU DYTIQUE**
La larve du dytique rampe hors de l'étang et s'enterre dans le sol humide où elle se nymphose (pp. 24-25). Quand l'adulte émerge, il reste encore plusieurs heures dans la cellule nymphale en attendant que ses élytres durcissent.

**Débris végétaux**

**Larves de phrygane**

**Des brindilles et des pierres protègent les larves.**

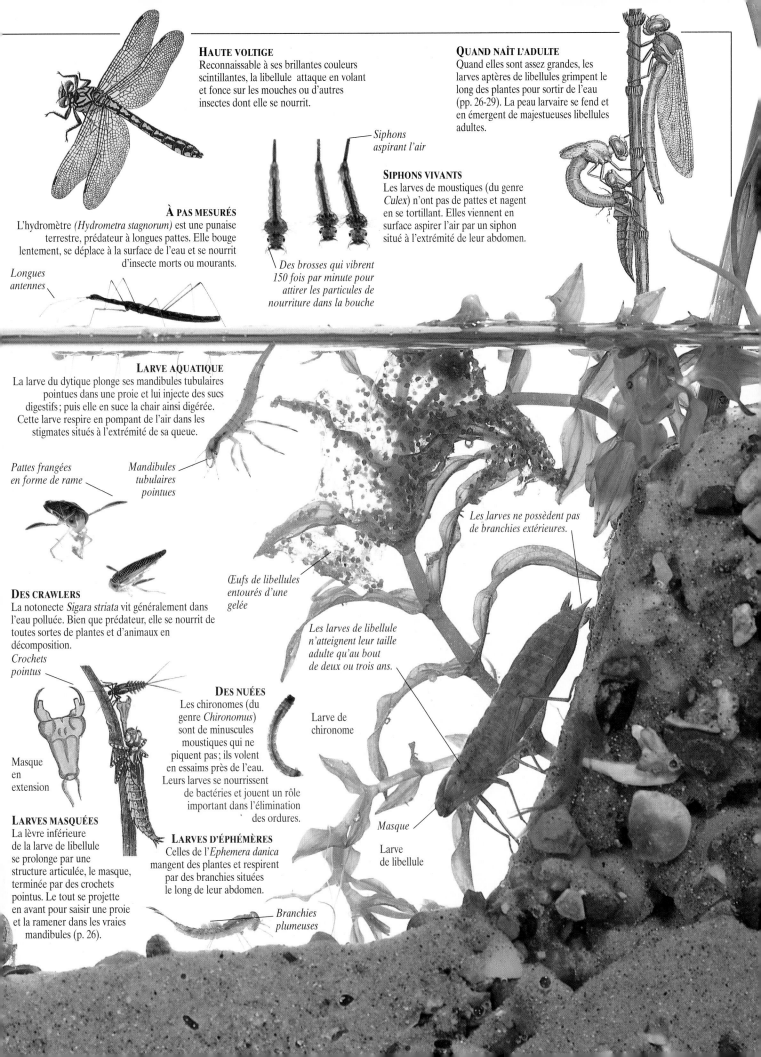

### HAUTE VOLTIGE
Reconnaissable à ses brillantes couleurs scintillantes, la libellule attaque en volant et fonce sur les mouches ou d'autres insectes dont elle se nourrit.

### QUAND NAÎT L'ADULTE
Quand elles sont assez grandes, les larves aptères de libellules grimpent le long des plantes pour sortir de l'eau (pp. 26-29). La peau larvaire se fend et en émergent de majestueuses libellules adultes.

*Siphons aspirant l'air*

### SIPHONS VIVANTS
Les larves de moustiques (du genre *Culex*) n'ont pas de pattes et nagent en se tortillant. Elles viennent en surface aspirer l'air par un siphon situé à l'extrémité de leur abdomen.

### À PAS MESURÉS
L'hydromètre *(Hydrometra stagnorum)* est une punaise terrestre, prédateur à longues pattes. Elle bouge lentement, se déplace à la surface de l'eau et se nourrit d'insecte morts ou mourants.

*Longues antennes*

*Des brosses qui vibrent 150 fois par minute pour attirer les particules de nourriture dans la bouche*

### LARVE AQUATIQUE
La larve du dytique plonge ses mandibules tubulaires pointues dans une proie et lui injecte des sucs digestifs ; puis elle en suce la chair ainsi digérée. Cette larve respire en pompant de l'air dans les stigmates situés à l'extrémité de sa queue.

*Pattes frangées en forme de rame*

*Mandibules tubulaires pointues*

*Les larves ne possèdent pas de branchies extérieures.*

### DES CRAWLERS
La notonecte *Sigara striata* vit généralement dans l'eau polluée. Bien que prédateur, elle se nourrit de toutes sortes de plantes et d'animaux en décomposition.

*Crochets pointus*

*Œufs de libellules entourés d'une gelée*

*Les larves de libellule n'atteignent leur taille adulte qu'au bout de deux ou trois ans.*

### DES NUÉES
Les chironomes (du genre *Chironomus*) sont de minuscules moustiques qui ne piquent pas ; ils volent en essaims près de l'eau. Leurs larves se nourrissent de bactéries et jouent un rôle important dans l'élimination des ordures.

*Larve de chironome*

*Masque en extension*

### LARVES MASQUÉES
La lèvre inférieure de la larve de libellule se prolonge par une structure articulée, le masque, terminée par des crochets pointus. Le tout se projette en avant pour saisir une proie et la ramener dans les vraies mandibules (p. 26).

### LARVES D'ÉPHÉMÈRES
Celles de l'*Ephemera danica* mangent des plantes et respirent par des branchies situées le long de leur abdomen.

*Masque*

*Larve de libellule*

*Branchies plumeuses*

# VOL AU-DESSUS D'UN NID DE GUÊPES

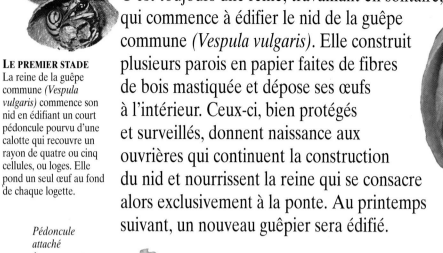

C'est toujours une reine, travaillant en solitaire, qui commence à édifier le nid de la guêpe commune *(Vespula vulgaris)*. Elle construit plusieurs parois en papier faites de fibres de bois mastiquée et dépose ses œufs à l'intérieur. Ceux-ci, bien protégés et surveillés, donnent naissance aux ouvrières qui continuent la construction du nid et nourrissent la reine qui se consacre alors exclusivement à la ponte. Au printemps suivant, un nouveau guêpier sera édifié.

**LE PREMIER STADE**
La reine de la guêpe commune *(Vespula vulgaris)* commence son nid en édifiant un court pédoncule pourvu d'une calotte qui recouvre un rayon de quatre ou cinq cellules, ou loges. Elle pond un seul œuf au fond de chaque logette.

**1 DES COUCHES ISOLANTES**
La reine construit une série de parois autour de son petit rayon pour protéger les larves des vents froids. Les nids de la guêpe commune ont toujours une ouverture au fond, à l'inverse de ceux des guêpes tropicales.

*Pédoncule attaché à un support*

*De nouvelles parois se construisent autour des premières.*

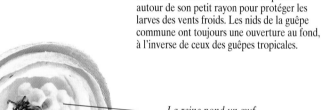

*La reine pond un œuf au fond de chaque cellule.*

**SOINS NOURRICIERS**
Quand les œufs éclosent, la reine va chercher des chenilles pour nourrir les larves et des matériaux pour agrandir le guêpier.

**3 GARDER L'ENTRÉE**
L'entrée du guêpier est maintenant un petit trou, plus facile à défendre contre les autres insectes, y compris contre d'autres reines qui pourraient tenter de s'emparer du nid. La température et l'humidité sont aussi plus aisément contrôlées.

**2 LA MAISON BLANCHE**
Entre les moments où elle nourrit ses larves, cette reine, qui a trouvé une source de matériaux blancs, s'approvisionne en fibres de bois qu'elle mastique pour faire le « papier » avec lequel elle édifie le nid.

*Larve*

*Cellules en papier construites par la reine*

**DES LARVES CHOYÉES**
Abondamment nourries d'insectes et de chenilles mâchées, les larves grandissent vite, chacune dans sa propre cellule. Leur développement varie avec la température et la quantité de nourriture, mais en général il n'excède pas cinq semaines.

**LA CONSTRUCTION DES PAROIS**
La reine utilise ses antennes pour mesurer la taille des parois et des cellules au fur et à mesure de leur construction.

*Les parois blanches sont composées de fibres de bois, mastiquées par la reine. Mélangés à la salive, elles forment un « papier ».*

*Petite entrée du guêpier*

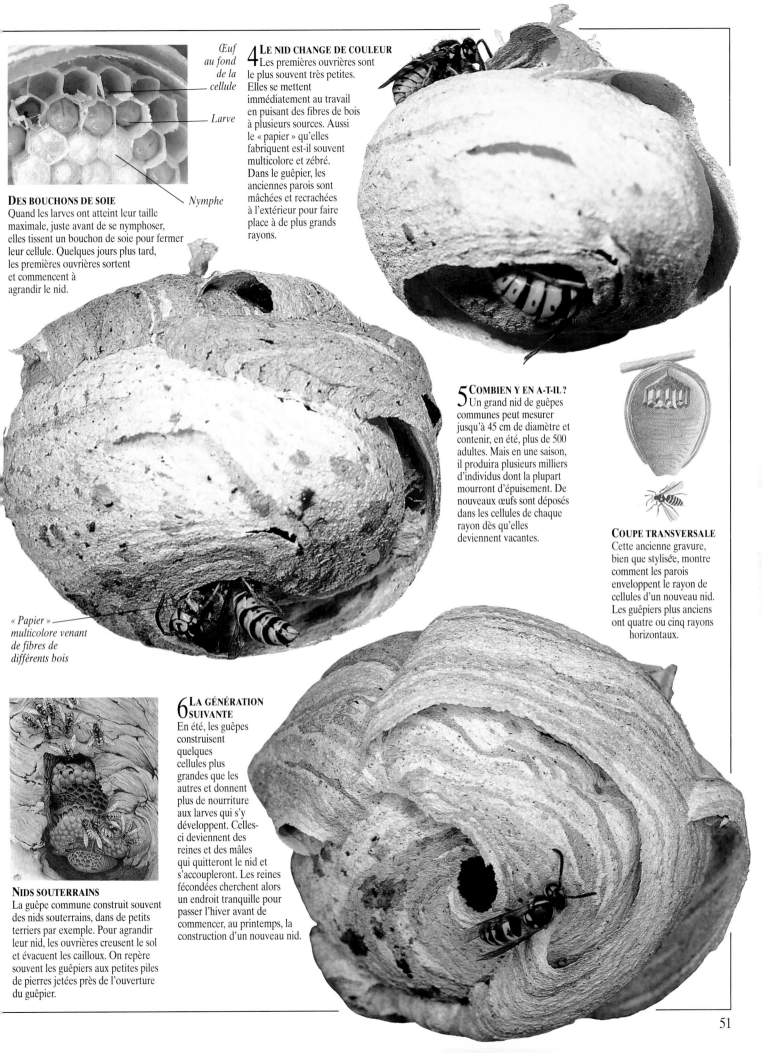

**Œuf au fond de la cellule**

**Larve**

**Nymphe**

## DES BOUCHONS DE SOIE

Quand les larves ont atteint leur taille maximale, juste avant de se nymphoser, elles tissent un bouchon de soie pour fermer leur cellule. Quelques jours plus tard, les premières ouvrières sortent et commencent à agrandir le nid.

## 4 LE NID CHANGE DE COULEUR

Les premières ouvrières sont le plus souvent très petites. Elles se mettent immédiatement au travail en puisant des fibres de bois à plusieurs sources. Aussi le « papier » qu'elles fabriquent est-il souvent multicolore et zébré. Dans le guêpier, les anciennes parois sont mâchées et recrachées à l'extérieur pour faire place à de plus grands rayons.

## 5 COMBIEN Y EN A-T-IL ?

Un grand nid de guêpes communes peut mesurer jusqu'à 45 cm de diamètre et contenir, en été, plus de 500 adultes. Mais en une saison, il produira plusieurs milliers d'individus dont la plupart mourront d'épuisement. De nouveaux œufs sont déposés dans les cellules de chaque rayon dès qu'elles deviennent vacantes.

## COUPE TRANSVERSALE

Cette ancienne gravure, bien que stylisée, montre comment les parois enveloppent le rayon de cellules d'un nouveau nid. Les guêpiers plus anciens ont quatre ou cinq rayons horizontaux.

*« Papier » multicolore venant de fibres de différents bois*

## NIDS SOUTERRAINS

La guêpe commune construit souvent des nids souterrains, dans de petits terriers par exemple. Pour agrandir leur nid, les ouvrières creusent le sol et évacuent les cailloux. On repère souvent les guêpiers aux petites piles de pierres jetées près de l'ouverture du guêpier.

## 6 LA GÉNÉRATION SUIVANTE

En été, les guêpes construisent quelques cellules plus grandes que les autres et donnent plus de nourriture aux larves qui s'y développent. Celles-ci deviennent des reines et des mâles qui quitteront le nid et s'accoupleront. Les reines fécondées cherchent alors un endroit tranquille pour passer l'hiver avant de commencer, au printemps, la construction d'un nouveau nid.

# LES INSECTES ARCHITECTES

Du plus simple au plus complexe, de la loge creusée dans le sol par une guêpe solitaire à la termitière qui abrite des millions d'ouvrières et une seule reine, il existe une grande variété de nids bâtis par les insectes pour abriter leurs petits. Celui de la guêpe commune (pp. 50-51) est construit par une reine travaillant seule, puis agrandi par les ouvrières naissant de ses premiers œufs. Ceux des abeilles sont édifiés par une reine aidée d'un essaim d'ouvrières venu d'un nid plus ancien ou d'une ruche (pp. 58-59). Quant aux nids des guêpes sud-américaines, ils peuvent être l'œuvre d'une seule femelle, de plusieurs, voire d'un essaim de femelles.

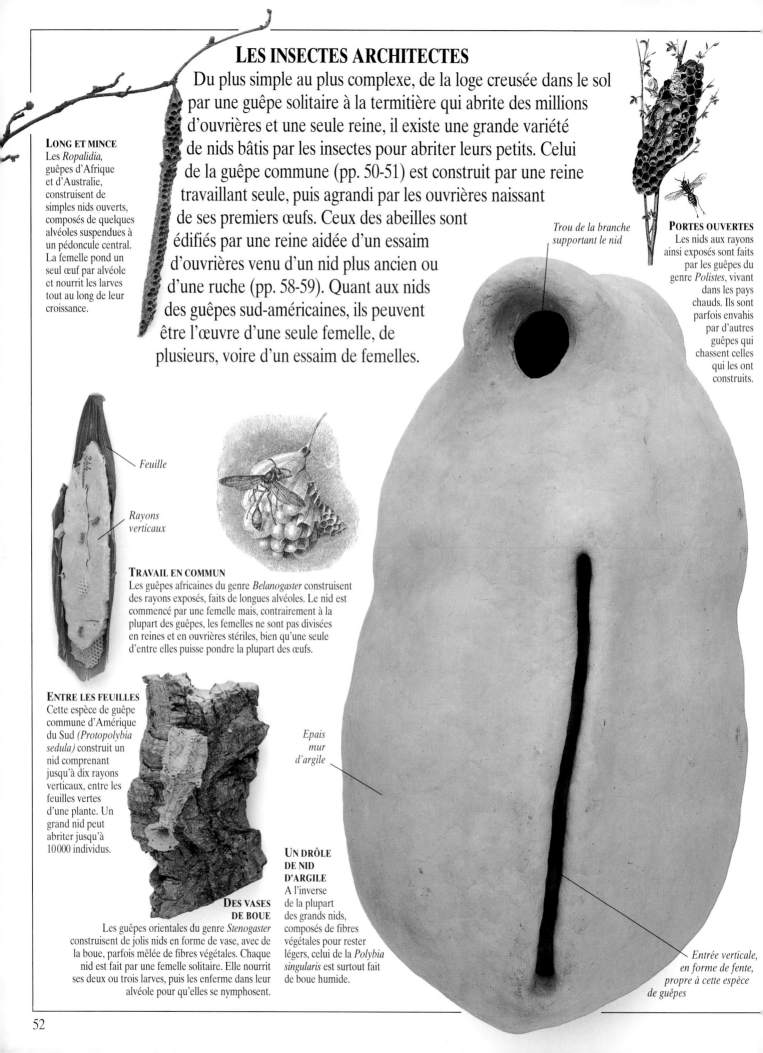

**LONG ET MINCE**
Les *Ropalidia*, guêpes d'Afrique et d'Australie, construisent de simples nids ouverts, composés de quelques alvéoles suspendues à un pédoncule central. La femelle pond un seul œuf par alvéole et nourrit les larves tout au long de leur croissance.

*Trou de la branche supportant le nid*

**PORTES OUVERTES**
Les nids aux rayons ainsi exposés sont faits par les guêpes du genre *Polistes*, vivant dans les pays chauds. Ils sont parfois envahis par d'autres guêpes qui chassent celles qui les ont construits.

*Feuille*

*Rayons verticaux*

**TRAVAIL EN COMMUN**
Les guêpes africaines du genre *Belanogaster* construisent des rayons exposés, faits de longues alvéoles. Le nid est commencé par une femelle mais, contrairement à la plupart des guêpes, les femelles ne sont pas divisées en reines et en ouvrières stériles, bien qu'une seule d'entre elles puisse pondre la plupart des œufs.

**ENTRE LES FEUILLES**
Cette espèce de guêpe commune d'Amérique du Sud *(Protopolybia sedula)* construit un nid comprenant jusqu'à dix rayons verticaux, entre les feuilles vertes d'une plante. Un grand nid peut abriter jusqu'à 10000 individus.

*Epais mur d'argile*

**DES VASES DE BOUE**
Les guêpes orientales du genre *Stenogaster* construisent de jolis nids en forme de vase, avec de la boue, parfois mêlée de fibres végétales. Chaque nid est fait par une femelle solitaire. Elle nourrit ses deux ou trois larves, puis les enferme dans leur alvéole pour qu'elles se nymphosent.

**UN DRÔLE DE NID D'ARGILE**
A l'inverse de la plupart des grands nids, composés de fibres végétales pour rester légers, celui de la *Polybia singularis* est surtout fait de boue humide.

*Entrée verticale, en forme de fente, propre à cette espèce de guêpes*

**DES CÔNES EN PAPIER**
Ce nid bâti par une guêpe
d'Amérique du Sud *(Chartergus
globiventris)* est un cône suspendu
à une branche, avec une petite
ouverture au fond. Les nids de
cette espèce peuvent mesurer
de 5 cm de long sur 3 cm
de large à 1 m de long
sur 15 cm de large.
Les plus grands
contiennent des
milliers d'insectes
avec plusieurs reines
pondeuses. On pense
que la dimension
du nid dépend
de celle de l'essaim
qui a commencé
à le construire, mais
il reste beaucoup à
découvrir sur ces guêpes.

*Branche supportant le nid*

**NID ÉPINEUX**
La *Polybia scutellaris*, guêpe
commune d'Argentine et du sud
du Brésil, bâtit son nid sous
les avant-toits des maisons.
Il est fait de fibres végétales
mâchées et son enveloppe
extérieure est
couverte d'épines
en papier.

*Entrée*

*Trou au centre
de chaque niveau
pour aller de rayon
en rayon*

*Murs de « papier mâché »,
faits de fibres végétales
que les guêpes mâchent
pour en faire une pâte*

*Nid fait de fibres
végétales mâchées*

*Entrée*

*Epines en papier*

**COUPE D'UN NID EN CARTON**
Cette coupe est celle du nid entier ci-dessus.
Il est constitué de fibres végétales que les
guêpes réduisent en une pâte semblable
à du papier mâché. Pour élever leurs petits,
elles entassent plusieurs couches de rayons,
avec un trou au centre qui permet de passer
d'un étage à l'autre. Le nouveau rayon est
probablement ajouté au fond puis couvert
d'une nouvelle enveloppe.

**MAISONS
PERCHÉES**
Cette gravure
ancienne montre un autre nid
épineux. L'entrée est différente de celle
du nid de *Polybia scutellaris :* il a probablement
été bâti par une espèce différente.

53

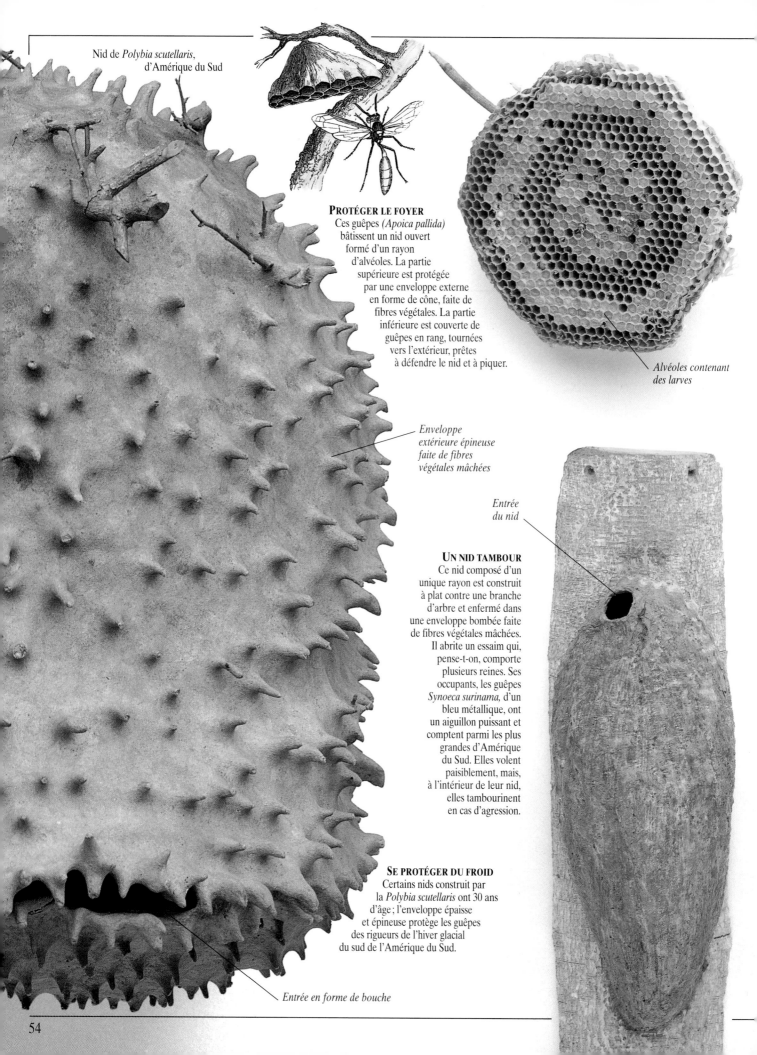

Nid de *Polybia scutellaris*,
d'Amérique du Sud

### PROTÉGER LE FOYER

Ces guêpes *(Apoica pallida)*
bâtissent un nid ouvert
formé d'un rayon
d'alvéoles. La partie
supérieure est protégée
par une enveloppe externe
en forme de cône, faite de
fibres végétales. La partie
inférieure est couverte de
guêpes en rang, tournées
vers l'extérieur, prêtes
à défendre le nid et à piquer.

*Alvéoles contenant
des larves*

*Enveloppe
extérieure épineuse
faite de fibres
végétales mâchées*

*Entrée
du nid*

### UN NID TAMBOUR

Ce nid composé d'un
unique rayon est construit
à plat contre une branche
d'arbre et enfermé dans
une enveloppe bombée faite
de fibres végétales mâchées.
Il abrite un essaim qui,
pense-t-on, comporte
plusieurs reines. Ses
occupants, les guêpes
*Synoeca surinama,* d'un
bleu métallique, ont
un aiguillon puissant et
comptent parmi les plus
grandes d'Amérique
du Sud. Elles volent
paisiblement, mais,
à l'intérieur de leur nid,
elles tambourinent
en cas d'agression.

### SE PROTÉGER DU FROID

Certains nids construit par
la *Polybia scutellaris* ont 30 ans
d'âge ; l'enveloppe épaisse
et épineuse protège les guêpes
des rigueurs de l'hiver glacial
du sud de l'Amérique du Sud.

*Entrée en forme de bouche*

# LES TERMITES

Ce sont les termites qui édifient les sociétés les plus nombreuses et les plus complexes. Le nid de certaines espèces, tels les *Macrotermes bellicosus* (ci-dessous), est entièrement climatisé et peut abriter jusqu'à cinq millions d'individus dont une unique reine qui pond tous les œufs, et un seul roi qui les féconde tous. Dans une grande termitière, le couple royal peut vivre 15 ans. Au cours de son existence, la reine pond un œuf toutes les trois secondes. Sa forme évoque celle d'une petite saucisse. Elle vit dans une chambre spéciale où de nombreuses ouvrières la nourrissent. Partant en rayons de la termitière, de nombreux sentiers, gardés par de grands soldats, sont parcourus par les ouvrières qui convoyent la nourriture. À l'inverse des fourmis, les soldats et les ouvriers appartiennent aux deux sexes et se nourrissent uniquement de végétaux.

### TERMITIÈRE ARBORICOLE
Beaucoup de termites bâtissent des nids dans les arbres, généralement reliés aux autres éléments d'une même colonie, soit souterrains, soit arboricoles. Les termites construisent des galeries de communication en agglomérant des particules de terre. Ils couvrent leurs routes d'un toit ou bien creusent des tunnels dans le bois et dans le sol. Les galeries d'approvisionnement et les tunnels du nid de *Macrotermes* ci-dessous couvrent un hectare.

### CITÉ CLIMATISÉE
Cet énorme monticule bâti par des termites d'Afrique occidentale *(Macrotermes bellicosus)* est en réalité une cheminée d'aération géante par laquelle peut s'échapper l'air chaud du nid. Sous la tour, une caverne d'environ 3 m de diamètre abrite les galeries de la « nursery », l'alvéole de la reine et les cultures de champignons. En dessous, à 10 m de profondeur ou plus, se trouvent des cavités d'où les termites tirent leur eau. Les termites contrôlent le débit et la température de l'air qui circule entre la caverne et la cheminée en modulant la taille d'un trou situé au sommet de la principale caverne. Elles maîtrisent ainsi la température du nid au degré près.

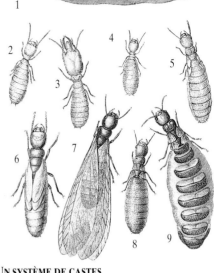

### UN SYSTÈME DE CASTES
Chez les insectes sociaux, la division du travail s'accompagne très souvent d'une répartition en groupes, ou castes. En voici un exemple chez les *Macrotermes* : 1. Reine (à l'abdomen énorme) ; 2. Ouvrier ; 3. Soldat ; 4. Larve ; 5. Larve à ailes courtes ; 6. Larve à longues ailes ; 7. Mâle ; 8. Jeune femelle ; 9. Femelle en train de pondre des œufs (notez l'amputation des ailes après le vol nuptial).

**Sorties d'air**

**Culture de champignons**

**Cellule de la reine pondeuse**

**Entrées d'air**

**Galeries de ravitaillement**

**Galeries de la « nursery » où sont élevées les larves**

### VU DE L'INTÉRIEUR
Le nid des termites *Macrotermes subhyalinus* diffère de celui de leurs cousins *bellicosus,* bien que la technique de climatisation reste la même.

### DE MYSTÉRIEUSES OMBRELLES
Ces nids en ombrelles des *Cubitermes* africains sont bien connus. Ils ont à peu près 45 cm de haut. Mais à quoi servent-ils ? Le nid est d'abord souterrain. Puis les termites édifient brusquement une ou plusieurs colonnes et jusqu'à cinq chapiteaux l'un au-dessus de l'autre. Il n'y a aucune alvéole royale dans ces termitières.

**Solides cloisons faites de minuscules boulettes de terre cimentées par de la salive**

**UN RÉGIME TRÈS APPRÉCIÉ**
Ce fourmilier d'Amérique du Sud
a de puissantes griffes pour éventrer
les fourmilières et les termitières,
et un long museau pour les fouiller.

# TRAVAIL, FAMILLE, FOURMI

Apparentées aux guêpes et aux abeilles (pp. 38-39), la plupart des fourmis, insectes sociaux par excellence, vivent en grandes colonies et construisent des nids complexes. Ces fourmilières sont souvent l'œuvre d'une reine solitaire qui pond abondamment. Après s'être nymphosée dans l'ancien nid, la jeune reine s'accouple une seule fois avec un mâle ailé et emmagasine le sperme pour le restant de sa vie. Elle s'arrache alors les ailes et commence une nouvelle fourmilière que des ouvrières aptères et stériles construiront tout en élevant les œufs et les larves. Il existe beaucoup d'espèces de fourmis : les solitaires, les parasites, celles qui volent les nymphes des autres colonies et en font des esclaves, et même des reines qui persuadent des ouvrières de tuer leur reine pour prendre sa place.

**HERCULES DE FOIRE**
Les fourmis peuvent soulever et porter des objets plus lourds qu'elles. Quand on bouscule une fourmilière, les fourmis s'affairent de tous côtés, certaines la défendent, d'autres la rebâtissent, mais l'essentiel est d'emporter leur progéniture. Ces grandes nymphes blanches contiennent chacune une fourmi presque mature. Chaque fourmi transporte une nymphe jusqu'à un endroit sûr, dans les profondeurs de la fourmilière.

**FOURMIS ROUSSES**
Ces fourmis sont de grands prédateurs d'insectes nuisibles, et une seule colonie peut en ramasser plusieurs milliers par jour. Une fourmilière peut contenir ainsi jusqu'à 100 000 membres, dont plusieurs reines, et durer quelques années. La fourmi rousse européenne a été le premier insecte protégé par la loi. En effet, en 1880, on déclara à Aix-la-Chapelle, en Allemagne de l'Ouest, qu'il était interdit de ramasser des « œufs de fourmi » pour nourrir les oiseaux.

## LES FOURMIS PARASOLS

Les « parasols » de cette caravane de fourmis d'Amérique tropicale (*Atta cephalotes*) sont composés de feuilles et de fleurs, que chaque fourmi récolte et transporte jusqu'au nid. Là, elles les coupent en morceaux plus petits et s'en servent afin d'y faire pousser un champignon dont elles se nourrissent. Une colonie de fourmis parasols consomme une grande quantité de feuilles. Si dans leur habitat naturel cela ne pose aucun problème, dans les plantations où elles rivalisent avec les hommes, en ce qui concerne la nourriture, elles sont considérées comme nuisibles.

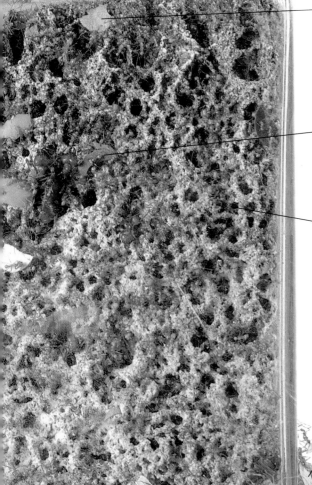

*A l'intérieur de la fourmilière, les feuilles sont découpées en petits morceaux pour cultiver une espèce particulière de champignon dont les fourmis se nourrissent.*

*Les fourmis qui sont au nid coupent les feuilles en petits morceaux et fertilisent les champignonnières avec leurs déjections.*

*Les champignons ne poussent que si les fourmis s'en occupent. Livrés à eux-mêmes, ils disparaîtraient rapidement.*

*Les morceaux de feuille sont laissés à l'entrée du nid pour que les jardinières les ramassent et les traînent à l'intérieur.*

*Fourmis à la recherche d'autres feuilles*

*Une fourmi peut porter une feuille deux fois plus grande qu'elle.*

## DES RÉSERVES DE « POTS DE MIEL »

Différentes espèces de fourmis vivant dans les régions semi-désertiques de notre planète ont élaboré la même stratégie de survie contre la sécheresse. Durant les pluies, les fourmis nourrissent certaines de leurs ouvrières d'eau et de nectar. Celles-ci emmagasinent cet excédent de nourriture dans leur jabot, ce qui provoque un gonflement de la partie antérieure de leur abdomen. Elles ne peuvent plus bouger et restent suspendues la tête en bas dans la fourmilière, tel un garde-manger vivant, où puise le reste de la colonie durant la saison sèche.

## DES COUTURIÈRES SOUS LES TROPIQUES

Certaines fourmis des régions tropicales, de l'Afrique à l'Australie, construisent leurs nids dans les arbres en « cousant » ensemble des bouquets de grandes feuilles. Une première rangée d'ouvrières maintient deux feuilles bord à bord, puis d'autres, tenant une larve vivante dans leurs mandibules, les cousent l'une à l'autre en se servant des fils de soie produits par ses glandes salivaires. Lorsque le nid est terminé (à droite), il ressemble à une boule de feuilles. Si l'on s'approche de la fourmilière, les milliers de fourmis qui sont à l'intérieur tapent bruyamment sur les feuilles. Quand elles mordent, elles injectent de l'acide formique dans la plaie.

*Antenne*

*Œil*

*Poils sensoriels*

*Mandibules dentées pour tenir la nourriture*

*Ces fourmis parasols ont des mandibules pointues pour découper les morceaux de feuilles qu'elles rapportent au nid.*

## MANDIBULES ADAPTÉES

Cette fourmi d'Asie arboricole possède des mandibules simples, peu de dents et se nourrit d'insectes mous et de miellée. Les fourmis « moissonneuses » qui récoltent les graines des herbes, dans les savanes tropicales, ont des mandibules broyeuses aux extrémités aplaties, totalement différentes des mâchoires longues, minces et pointues des prédateurs.

*Pédipalpes*

*Fourmi*

*Deux fourmis découpent un grand morceau de feuille à l'aide de leurs mandibules incisives et pointues.*

## UNE CARAVANE FEUILLUE

Ces caravanes de petites feuilles vertes sont bien visibles durant le jour lorsque, de retour vers la fourmilière, elles croisent votre chemin. On voit alors des ouvrières s'arrêter en chemin pour encourager leurs collègues lourdement chargées. Quand un « parasol » tombe, plusieurs fourmis se précipitent et le hissent pour que l'une d'elles l'emporte au nid.

*Les « parasols » sont des morceaux de feuilles et de fleurs.*

## TRAVAILLER PAR BEAU TEMPS

Ces fourmis parasols ne cueillent pas de feuilles lorsqu'il pleut, et si une grosse averse les surprend, elles abandonnent les feuilles coupées à l'extérieur du nid. Des feuilles mouillées pourraient en effet détruire le fragile équilibre des champignonnières et mettraient en danger la réserve de nourriture de la colonie.

## PENDANT LA PONTE, LES TRAVAUX CONTINUENT

Le plus ancien témoignage sur la récolte du miel remonte à 9 000 ans : il s'agit d'une peinture rupestre espagnole représentant un personnage s'emparant du miel d'un nid, au flanc d'une falaise, méthode encore pratiquée aujourd'hui dans certaines parties du monde. Il y a 2 500 ans, les Égyptiens élevaient déjà les abeilles dans des ruches et récoltaient ainsi la précieuse substance. Depuis un siècle, on s'est efforcé de sélectionner et d'élever des abeilles dociles et grosses productrices. Dans les ruches modernes, on distingue trois types d'abeilles (*Apis mellifera*) : la reine, qui pond plus de 1 000 œufs par jour et sécrète une substance chimique, dite « royale », qui stimule le travail des ouvrières ; jusqu'à 60 000 ouvrières – des femelles stériles ; et quelques centaines de mâles, ou faux bourdons, dont la seule fonction est de féconder les nouvelles reines.

**DILIGENTES ABEILLES**
Les ruches en paille comme celle-ci, dessinée il y a 400 ans, ont peu changé durant des milliers d'années. A l'intérieur, les abeilles construisent des rayons sur un bâton porteur.

**L'ESSAIMAGE**
Une colonie d'abeilles produit un petit nombre de nouvelles reines chaque année. Juste avant que la première émerge de sa nymphe, la vieille reine et environ la moitié des ouvrières forment un essaim et s'en vont. Les abeilles en essaim sont souvent dociles et cette gravure montre comment on les recueille dans une ruche en paille. La nouvelle reine, qui naît dans l'ancienne ruche, tue ses rivales afin de régner seule.

**LA DANSE DU SOLEIL**
Quand une abeille trouve une source de nectar, elle revient à la ruche et accomplit une curieuse « danse » sur le rayon de miel : elle explique ainsi la position de la nourriture par rapport à l'orientation du soleil. Les abeilles qui survolent la campagne tracent une ligne droite de la ruche à la source de nourriture, et l'on pourrait comparer leur trafic dense à celui d'une autoroute en période de vacances.

*Couverture extérieure*

*Couverture intérieure*

*Hausse*

*Le paillasson est une grille dont les fentes sont trop étroites pour laisser passer la reine.*

**LES RUCHES MODERNES**
La ruche de Langstroth fut inventée à Philadelphie, aux Etats-Unis, en 1851. Elle fournit aux abeilles des rayons disposés dans des cadres amovibles : un compartiment inférieur, pour les chambres de couvaison, et un supérieur pour emmagasiner le nectar et le pollen. On empêche la reine de pondre ses œufs dans les rayons supérieurs grâce au paillasson.

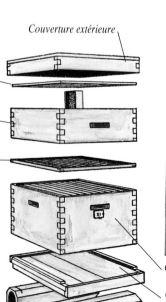

*Chambre de couvaison*

*Caisse inférieure et entrée de la ruche*

*L'ouvrière produit la cire dont sont faites les parois de la cellule, grâce à des glands situés entre les articulations de l'abdomen.*

## LE MIEL

Rayons d'une ruche, dont les cellules pleines de miel sont souvent vendues comme une friandise.

*Miel*

*Rayon de miel*

## LES BOURDONS

Les bourdons, grosses abeilles poilues des régions nordiques tempérées, jouent un rôle important dans la pollinisation de certaines cultures. Ils vivent dans des terriers creusés par de petits animaux et construisent quelques rares cellules plutôt irrégulières.

## UN BONNET D'ABEILLES

Lorsqu'elles essaiment, les abeilles peuvent être très dociles. Cet homme a encouragé un essaim à s'installer sur sa tête. Il a probablement placé d'abord la reine sur sa tête pour que les ouvrières se rassemblent autour d'elle.

*Les cellules obturées de cire blanche sont remplies de miel destiné à nourrir les larves.*

*Les cellules obturées de cire jaune contiennent du pollen.*

*Jeunes larves en forme de C au fond de cellules en cire*

Œuf

Jeune larve

Larve mature

Nymphe

## LA MÉTAMORPHOSE

Les abeilles subissent une métamorphose complète (pp. 24-25) : les œufs donnent des larves, qui deviennent des nymphes. Les larves sont nourries et soignées par les jeunes ouvrières.

*Les ouvrières plus âgées ramènent le pollen à la ruche pour nourrir les larves.*

*Les cellules jaunes obturées de cire, en bas du cadre, renferment les nymphes.*

*Les toutes jeunes larves se nourissent de gelée royale, sécrétion salivaire distribuée par les ouvrières, et ensuite de miel.*

# UTILES OU NUISIBLES ?

Les insectes sont indispensables au bien-être du monde vivant. Les abeilles, les mouches et les papillons pollinisent nos cultures et assurent ainsi nos récoltes. Les guêpes et les demoiselles détruisent les chenilles et les pucerons qui s'attaquent aux plantes. Les coléoptères et les mouches nous débarrassent des matières en décomposition, recyclant ainsi des substances nutritives pour les nouvelles générations. Toutes ces espèces sont utiles, comme le sont les abeilles qui fabriquent le miel et la cire ou les chenilles des papillons de nuit qui produisent la soie. Pourtant on ne prend généralement conscience de la présence des insectes que lorsqu'ils constituent une menace ou une nuisance. Et en effet, chaque année, entre dix et quinze pour cent des aliments produits dans le monde sont détruits par les insectes, sans oublier les maladies qu'ils transmettent aux animaux et aux hommes.

Récolte de cochenilles

### LES TEINTURES ET LA MANNE
Le carmin est un colorant alimentaire rouge extrait des corps broyés de cochenilles *(Dactylopius coccus)*. Originaires du Mexique, ces punaises (p. 36) sont élevées dans d'autres pays en même temps qu'est cultivé le cactus opuntia dont elles se nourrissent. La manne de la Bible, dont se sont nourris les enfants d'Israël, provenait probablement de punaises semblables vivant sur les tamaris, arbrisseaux à grappes de fleurs roses.

Carmin

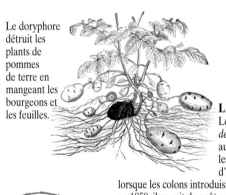
Le doryphore détruit les plants de pommes de terre en mangeant les bourgeons et les feuilles.

### LA BÊTE DU COLORADO
Le doryphore *(Leptinotarsa decemlineata)* se nourrissait autrefois de feuilles dans les montagnes Rocheuses d'Amérique du Nord. Mais lorsque les colons introduisirent la pomme de terre, en 1850, il se prit de goût pour ce nouvel aliment et envahit alors toute l'Amérique. Avant l'arrivée des insecticides, il était très redouté.

### DES FLÈCHES EMPOISONNÉES
Les nymphes de ce chrysomèle *(Polyclada bohemani)* contiennent un poison très puissant. Les Boshimans d'Afrique du Sud s'en servent à la chasse pour empoisonner leurs flèches.

### NUISANCE PÉRIODIQUE
Ce longicorne d'Inde *(Hoplocerambyx spinocorrus)* s'attaque habituellement aux tamaris morts ou mourants. Les larves creusent de larges galeries dans le bois. Quand leur population augmente trop rapidement, ils s'en prennent aux arbres vivants et peuvent causer d'énormes dégâts dans les plantations forestières.

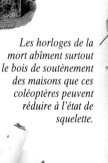

*Les horloges de la mort abîment surtout le bois de soutènement des maisons que ces coléoptères peuvent réduire à l'état de squelette.*

### LA VRILLETTE DES CIGARETTES
Si fumer n'est jamais bon pour notre santé, les larves de cette vrillette *(Lasioderma serricorne)*, elles, ne dédaignent pas le tabac. Il y a une soixantaine d'années, pour débarrasser de ces vrillettes un siège rembourré avec du crin de cheval, on recommandait d'imbiber le meuble d'essence !

### L'HORLOGE DE LA MORT
Ce coléoptère, surnommé l'horloge de la mort *(Xestobium rufovillosum)*, peut nuire gravement au bois de construction des maisons. Par superstition on a cru entendre, dans le bruit que font au printemps les adultes frappant leur tête contre le bois, le signe d'une mort prochaine. Il s'agit en réalité de l'appel d'un partenaire sexuel.

Larve

**Criquet pèlerin**
*(Schistocerca gregaria)*

Larve

Adulte

Les criquets pèlerins sont ailés, les nymphes aptères.

## DEUX EN UN
Ordinairement, les criquets pèlerins sont solitaires. Mais parfois ils deviennent grégaires : la forme de leur corps et leur comportement changent alors, et ils s'assemblent en un immense essaim.

## DES DÉMOLISSEURS
Les termites dévorent parfois les poutres d'une maison, laissant seulement intacte la mince surface peinte, avec les résultats désastreux que l'on devine. Ce linteau de porte était composé d'une poutre carrée de 28 cm avant que les termites s'y introduisent par le sol.

## DES NUAGES REDOUTÉS
Quand un essaim de criquets pèlerins se reproduit de façon incontrôlée durant quelques mois, le nombre des individus peut s'élever à plusieurs millions. Ils deviennent alors des destructeurs impitoyables et dévoreront toutes les plantes disponibles de la région.

## DES INVITÉS INDÉSIRABLES
Autrefois, il était courant de faire la chasse aux punaises avant de se coucher. Comme le montre cette gravure, on les chassait une à une en les épinglant.

*Calandres des grains*

*Ténébrions*

## LE PARADIS DES COLÉOPTÈRES
Les réserves de nourriture de l'homme attirent aussi les insectes. Le ténébrion *(Tribolium castaneum)* se répand dans les silos et les paquets de farine. La larve de la calandre des grains *(Sitophilus granarius)* vit dans les stocks de céréales.

Galles de la feuille sur une vigne américaine

## DES VAMPIRES
Par leurs pièces buccales, les moustiques – des diptères hématophages – transmettent aux hommes des maladies comme la fièvre jaune et le paludisme. Ces insectes véhiculent virus, bactéries et parasites et les injectent dans le sang humain dont ils se nourrissent.

Puceron adulte

Puceron adulte ailé

## TELLE UNE ARAIGNÉE
Les adultes et les larves de ce petit coléoptère qui ressemble à une araignée *(Ptinus tectus)* se nourrissent de légumes secs, d'épices et de grains ; on en trouve souvent dans les entrepôts.

## LA MALADIE DE LA VIGNE
Le phylloxéra *(Viteus vitifoliae)* est un puceron (p. 36) nuisible de la vigne, qui passa d'Amérique en Europe en 1860, avec des plants importés. En vingt-cinq ans, les galles qu'il produisit sur les racines détruisirent plus de la moitié du vignoble français. En Amérique, les vignes peuvent avoir des galles sur les feuilles et sur les racines ; en Europe, on ne trouve des galles que sur les racines.

*Coléoptères araignées en train de se nourrir d'un bouillon-cube*

*Les termites ne mangent que les parties tendres du bois.*

# OBSERVONS-LES DE PRÈS

Après trois siècles d'études entomologiques, si la plupart des espèces européennes sont aujourd'hui identifiées, il en reste beaucoup à découvrir dans les pays tropicaux. Cependant le rôle des insectes dans le système écologique demeure largement inexploré. Quelle est leur importance dans la pollinisation ? Lesquels sont nécessaires à la décomposition du bois et des feuilles mortes ? Dans quelles proportions entrent-ils dans le régime alimentaire de leurs prédateurs ? On ne peut que répondre imparfaitement à ces questions. Néanmoins, l'observation des insectes est une clé pour comprendre le fonctionnement de la nature, et peut aussi devenir une passion qui exige beaucoup de patience, une bonne vue, voire une loupe.

**POUR AMATEURS**
Au XIXe siècle, la mode était aux collections d'insectes, de plantes et de minéraux. Cette gravure représente un vivarium, aménagé en vue de la conservation et de l'observation des insectes vivants, dans un milieu artificiel proche de leur habitat naturel.

**DE BEAUX SOUVENIRS**
Le naturaliste français Jean-Henri Fabre (1823-1915) écrivit beaucoup d'ouvrages sur la vie des insectes qu'il observait dans la campagne du sud de la France.

Bouteille de chloroforme et son bouchon

*Anneau pour porter la bouteille*

*Canule*

*Bouchon hermétique*

**UNE BOUTEILLE DE CHLOROFORME**
Quelques gouttes de chloroforme de la canule de ce récipient en cuivre suffisaient pour tuer les spécimens capturés.

**DES MANCHES D'IVOIRE**
Avant l'invention du plastique, on fabriquait les petites pièces des appareils d'observation avec des matériaux tels que le cuivre ou l'ivoire, comme cette lentille montée sur ivoire et utilisée par l'entomologiste anglais Edward Meyrick (1854-1938).

Epingle à manche d'ivoire

*Spécimen fixé sur la lentille pour être examiné*

*Etui de cuir*

**LOUPE DE POCHE**
Autrefois, les loupes étaient d'un usage courant. Les petites lentilles, très chères, grossissaient jusqu'à 10 ou même 25 fois.

Lentilles pliantes

*Petites lentilles très grossissantes*

Avant l'invention du plastique, les boîtes de collectionneurs étaient doublées de liège.

**BOÎTES DE RAMASSAGE**
Les collectionneurs d'insectes rapportaient les spécimens dans des boîtes en métal comme celle-ci, fabriquée en France au XIXe siècle.

**JOURNAL DE MARCHE**
Le journal de l'entomologiste anglais Charles Dubois (1656-1740) contient des notes sur les insectes qu'il a observés, assorties de dessins et de commentaires sur leurs habitudes, leur comportement et leur apparence.

*Poignées en forme de ciseaux*

### UN FILET EN CISEAUX

Grâce à ses poignées particulières, on pouvait refermer d'un coup sec, sur l'insecte, les deux morceaux de mousseline ronds et plats.

*Pointes fines pour les insectes minuscules*

Pince d'opticien

*Bouts carrés pour maintenir les épingles*

*Une fine mousseline de coton empêche l'insecte capturé de s'enfuir.*

Porte-aiguilles en métal

Pinces à épiler

Boîte à épingles ancienne

### DES COLLECTIONNEURS

Vers 1740, le naturaliste français René Antoine Ferchault de Réaumur a rendu illustre ce groupe de gentilshommes du XVIIIᵉ siècle. Ils se servaient du classique « filet à papillons » pour attraper des insectes.

### ÉTIQUETER

La valeur scientifique d'un spécimen dépend des informations fournies par l'étiquette qui l'accompagne, sur laquelle est noté où et quand il a été recueilli et de quoi il se nourrissait. Ces étiquettes doivent être petites mais bien lisibles, comme pour ces minuscules cicadelles.

*Epingles très fines pour les petits insectes*

*Longues et grosses épingles pour de grands insectes*

Etiquettes

Lamelles de microscopes

### LE NÉCESSAIRE D'UN ENTOMOLOGISTE

Des pinces d'opticien à bout fin permettent de prendre les spécimens minuscules. A l'inverse, pour maintenir les épingles, on utilise des pinces à épiler à bout carré. On peut aussi adapter des aiguilles de dimensions variées à des poignées de métal pour mieux observer une patte ou une antenne.

### POUR LES TOUT-PETITS

On ne peut pas épingler les espèces qui mesurent moins d'un millimètre de long. Gardés dans de petits flacons remplis d'alcool, on peut les étudier au microscope, sur des lames de verre ou sur de petites surfaces.

Récipient en verre contenant de l'alcool

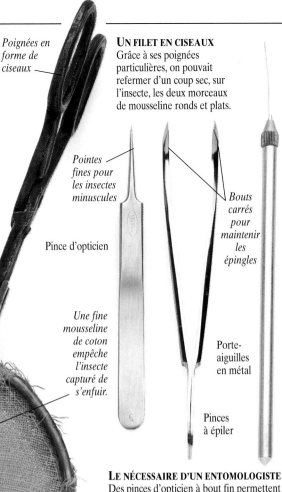

*Le fond de la boîte est doublé de mousse de plastique.*

### BOÎTE DE COLLECTION MODERNE

Les avantages du plastique ? Sa légèreté et sa transparence. Voici une collection typique de papillons de nuit attrapés grâce un piège lumineux.

### L'EXTINCTION DES INSECTES

L'extension des zones urbaines, au détriment des terres cultivées, et la destruction des forêts, durant ces dernières années, ont réduit les aires d'habitat naturel des insectes. De nombreuses espèces ont disparu, certaines s'éteignant avant même d'avoir été découvertes.

### PIÈGES MODERNES

Le piège malaisien permet d'attraper un grand nombre d'insectes volants. Quand ceux-ci se heurtent à la paroi centrale, la plupart grimpent vers le haut, où se trouve le flacon. Les autres retombent sur le sol et s'enfuient en rampant.

### DISPARU

Le perce-oreille de Sainte-Hélène ne vivait que sur cette île, au milieu de l'océan Atlantique Sud. On n'a pas vu ce très grand insecte depuis de nombreuses années et il a probablement disparu.

# LE SAVIEZ-VOUS ?

## DES INFORMATIONS PASSIONNANTES

 Une blatte peut survivre jusqu'à neuf jours sans sa tête.

 Confronté à un danger, le Coléoptère carabique *Brachinus crepitans* « bombardier » projette un liquide bouillant de son abdomen. Le gaz, résultat d'une réaction chimique, irrite les yeux de son ennemi et forme un écran de fumée le temps que l'insecte se mette à l'abri.

 La couleur du pou adulte peut dépendre de celle des cheveux de la personne parasitée.

 Le plus grand nid d'insectes recensé est celui d'une colonie de termites africains : il mesurait 12,8 m de haut.

 L'une des espèces d'insectes parmi les plus dangereuses est un Orthoptère, le criquet pèlerin, *Schistocerca gregaria*. Il ne s'attaque pas directement aux hommes, mais lorsqu'une nuée composée de millions d'individus s'abat sur une région, les ravages causés aux récoltes représentent une menace mortelle. Leur présence dévastatrice, après les fortes pluies de mousson, parce qu'ils dévorent jusqu'à la moindre plante, provoque la famine chez les populations humaines et animales.

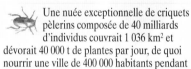 Une nuée exceptionnelle de criquets pèlerins composée de 40 milliards d'individus couvrait 1 036 km² et dévorait 40 000 t de plantes par jour, de quoi nourrir une ville de 400 000 habitants pendant une année.

Cet homme se déplace sans danger au milieu d'une nuée de criquets pèlerins.

Abeilles tueuses ou abeilles à miel africanisées

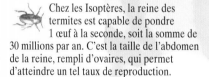 Chez les Isoptères, la reine des termites est capable de pondre 1 œuf à la seconde, soit la somme de 30 millions par an. C'est la taille de l'abdomen de la reine, rempli d'ovaires, qui permet d'atteindre un tel taux de reproduction.

Tri des cocons de vers à soie

 L'abeille tueuse, un des insectes parmi les plus dangereux au monde, est une espèce créée par l'homme. Elle résulte d'un croisement, effectué en 1956 au Brésil, entre l'abeille à miel africaine et l'abeille européenne, dans le but d'augmenter son rendement en miel. L'expérience n'a pas été une réussite car la nouvelle espèce s'est révélée très agressive envers les humains et les animaux. Elle ne possède pas davantage de venin que les autres abeilles et sa taille n'est pas plus grande pourtant, elle est susceptible d'attaquer 10 fois plus souvent.

La vitesse en vol des Lépidoptères sphingidés est de 53,6 km/h.

Le ver à soie *(Bombyx mori)*, la chenille du papillon de nuit, produit un cocon dont est extraite la soie. La soie est un fil unique et continu, fait de protéine sécrétée par deux glandes situées de part et d'autre de la tête de la chenille. Chaque cocon contient un fil de 300 à 900 m de longueur ! Pour récolter la soie, on laisse la chenille tisser son cocon, puis on place celui-ci dans de l'eau bouillante afin de tuer le ver et de faciliter le déroulage du fil de soie.

Le papillon de nuit *Actias selene* est l'insecte dont l'odorat est le plus fin. Il est capable de détecter les phéromones d'une partenaire située à une distance de 11 km.

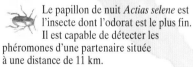

Jeune criquet pèlerin

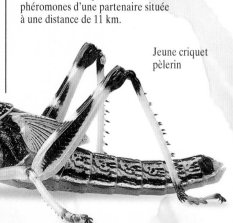

### Combien d'espèces d'insectes y a-t-il dans le monde ?

Il en existe au moins un million, autant que les autres groupes animaux ou végétaux confondus. Les insectes représentent environ 75 % de la vie animale sur Terre. Les fourmis et les termites constituent à eux seuls le 10e de la masse des insectes présents sur Terre. Dans la classification des insectes, l'ordre le plus diversifié est celui des Coléoptères, avec environ 125 familles et 350 000 espèces différentes. On estime à au moins un milliard le nombre d'insectes par être humain.

### Quel insecte supporte la température la plus élevée ?

La larve et l'adulte du Diptère Ephydrinae *Scatella thermarum* vivent dans les sources chaudes d'Islande, à des températures proches de 48 °C, bien trop élevées pour qu'un être humain y plonge la main.

### Comment peut-on éloigner les insectes ?

La meilleure façon de les tenir à distance est de manger beaucoup d'ail ! C'est surtout vrai pour les insectes qui se nourrissent de sang tels que les moustiques. Absorbé dans le sang, l'ail dégage une odeur désagréable aux insectes. Etalés sur la peau, les mélanges d'essences naturelles à base de cèdre, de théier, de lavande, de citronnelle ou de vanille sont également efficaces.

L'ail éloigne les insectes.

## QUELQUES RECORDS

### LE SAUT LE PLUS HAUT
Proportionnellement à sa taille, la minuscule puce réalise les sauts les plus hauts, l'équivalent de 7,5 m pour un être humain.

### L'INSECTE LE PLUS PETIT
Mesurant à peine 0,017 cm, le mâle de l'Hyménoptère *Trichogrammatidae Megaphragma caribbea* de Guadeloupe, aux Antilles, est un parasite parmi les plus petits insectes connus.

### CELUI QUI VOLE LE PLUS VITE
Les libellules dépassent dans les airs des vitesses de 50 km/h en pointe.

### LE PLUS GRAND NOMBRE DE BATTEMENTS D'AILES
Un minuscule moucheron bat des ailes 50 000 fois par minute, contre 300 fois en moyenne pour les papillons.

### L'INSECTE LE PLUS LOURD
Le Coléoptère Dynaste *Megasoma acteon* pèse jusqu'à 70 grammes.

### Quelle est la nourriture préférée des insectes ?

En général, les insectes ont un régime bien défini, mais certaines espèces, pas trop difficiles, se nourrissent de tout ce qui se présente, y compris du bois, du cirage et du papier !

### Les insectes sont-ils comestibles ?

De nombreux peuples consomment des insectes. C'est le cas des aborigènes d'Australie qui célèbrent la fête annuelle des papillons de nuit dans les montagnes de Bogong, en Nouvelle-Galles du Sud. Ils récoltent ces insectes dans les interstices des rochers, puis les font cuire dans le sable chaud. Ils retirent la tête, puis écrasent le corps en une pâte dont ils font des gâteaux. Cet aliment enrichit le régime des Aborigènes en graisses précieuses . Les sauterelles sautées, les criquets grillés ou la pâte de larve sont également des mets très appréciés dans certaines parties du monde.

### Les insectes possèdent-ils un cerveau ?

Oui. Celui d'une fourmi, par exemple, contient environ 250 000 cellules. Celui d'un être humain en renferme 10 000 millions. Une colonie de 40 000 fourmis dispose, collectivement, d'un cerveau offrant la même capacité qu'un cerveau ayant la taille de celui d'un homme.

### Quelle est la plus grande colonie de fourmis ?

Au Japon, une colonie géante de *Formica yessensis*, occupant un réseau souterrain de 45 000 nids, aurait abrité plus d'un million de reines et 306 millions d'ouvrières.

Les fourmis représentent 10 % de la vie animale.

### Quel insecte possède le corps le plus long ?

Une espèce de phasme, le *Pharnacia kirbyi*. La femelle mesure 36 cm.

### Quel est l'insecte le plus bruyant ?

La stridulation de la cigale africaine, *Brevisana brevis,* atteint 106,7 décibels à une distance de 50 cm. C'est l'appel le plus puissant enregistré jusqu'à aujourd'hui. Le chant des insectes Orthoptères (grillons, sauterelles et criquets) et Homoptères Cicadidés (cigales)est un élément essentiel de leur système de communication, de défense et de reproduction.

### Quel est le plus grand insecte qui ait jamais existé ?

La libellule géante, la *Meganeura,* espèce aujourd'hui disparue, est le plus grand insecte répertorié. Ce prédateur volant d'une envergure de 0,6 mètre, sévissait il y a 250 millions d'années.

Phasme

### Quel insecte dispose du cycle de vie le plus long ?

Le cycle de vie de la cigale périodique, *Magicicada septendecim*, est d'environ 17 ans. La larve de certaines vrillettes parasites du bois vit jusqu'à 45 ans. Avec 17 jours, la durée de vie la plus courte est celle de la mouche domestique. En conditions de laboratoire, la drosophile boucle son cycle en 10 jours.

### Comment différencier les fourmis des termites ?

Certes, les termites (Isoptères) ressemblent aux fourmis (Hyménoptères), mais il est cependant aisé de les distinguer. Les termites sont plus petits, leurs antennes sont droites et leur taille n'est pas marquée. Les fourmis possèdent 3 segments avec une taille marquée, leurs antennes sont coudées.

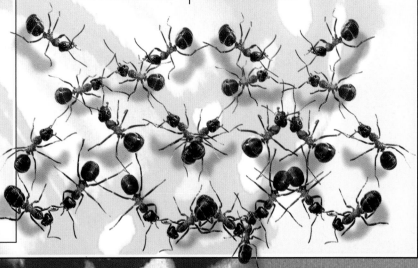

# LA CLASSIFICATION DES INSECTES

Plus d'un million d'espèces sont répertoriées dans le monde, et certains spécialistes estiment qu'il y en a, en réalité, 10 millions. Voici les principaux groupes répartis selon les ordres, les familles et les genres de la classe des insectes.

**MOUCHES, MOUCHERONS ET MOUSTIQUES**
Composé de 90 000 espèces, l'ordre des Diptères comprend la mouche domestique ainsi que les suceurs de sang comme les moustiques. Les mouches peuvent transmettre des maladies en contaminant la nourriture avec des organismes accrochés à leurs pattes velues et à leur bouche.

Syrphidé

Cafard volant

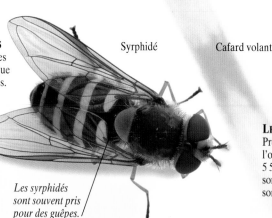

*Les syrphidés sont souvent pris pour des guêpes.*

**LES BLATTES**
Présent sur Terre depuis 400 millions d'années, l'ordre des Dictyoptères comprend environ 5 500 espèces. Très robustes, ces insectes nocturnes sont capables de se déplacer à près de 3 km/h. Ils sont parfois adoptés comme animal de compagnie.

Bourdon

**LES PUNAISES**
L'ordre des Hémiptères comprend les punaises, les gerris, les cigales et les pucerons (aphides). L'ordre des Hémiptères Hétéroptères compte, dans le monde, 6 500 espèces de punaises qui possèdent des glandes odorantes produisant une substance à l'odeur forte et désagréable.

Pou du pubis

Punaise

**ABEILLES ET GUÊPES**
Les Hyménoptères suscitent la crainte à cause de leur piqûre. Pourtant, les abeilles et les guêpes sont des insectes utiles, essentiels à la pollinisation des fleurs et se nourrissant de petites espèces nuisibles aux cultures. La plupart des insectes sociaux qui vivent et travaillent en colonies sont des Hyménoptères.

Phasme

**LES POUX**
Ces parasites aptères pondent leurs œufs sur les parties velues ou chevelues des humains et autres animaux et se nourrissent de fragments de peau et de sang. Chez l'homme, il en existe 3 types : le pou de la tête, celui du corps et celui du pubis (morpion).

**LES PHASMES**
Avec environ 2 500 espèces, ces insectes vivent surtout sous les tropiques. Ailés ou aptères, ils sont couramment adoptés comme animaux de compagnie. Ils se confondent parfaitement dans le feuillage.

Coléoptère

Fourmi

Papillon porte-queue

**LES COLÉOPTÈRES**
Riche de 350 000 espèces, l'ordre des Coléoptères est le plus important de la classe des insectes. Il comprend des espèces aussi diverses que le ver luisant aptère, la vrillette (larve qui dévore le bois) et l'amie des jardiniers, la coccinelle mangeuse d'aphides.

**LES FOURMIS**
Les fourmis, espèces parmi les plus nombreuses, représenteraient 10 % de toute la vie sur Terre. Ces insectes sociaux Hyménoptères vivent et travaillent en très importantes colonies souterraines.

**PAPILLONS DE JOUR ET DE NUIT**
Fort de plus de 300 000 espèces en tout, l'ordre des Lépidoptères est présent dans le monde entier. De nombreuses espèces de papillons, cependant, sont en voie de disparition à cause de la pollution et de la déforestation.

*Pour « goûter », les papillons disposent de capteurs sensoriels sur leurs pattes.*

## LES MANTES

Il existe environ
1 700 espèces de mantes.
La plupart vivent
sous des climats chauds,
s'attaquant aux abeilles,
aux coléoptères, aux
papillons et, occasionnellement,
à de petits oiseaux ou souris. La
femelle est souvent incapable de
voler : son abdomen contient une grande
quantité d'œufs. Il lui arrive de dévorer
son partenaire après l'accouplement.

Mante religieuse

La femelle de la mante religieuse
fait partie des insectes les plus grands.

Perle

## LES PERLES

Il existe environ 2 000 espèces connues de ces
insectes aquatiques, qui aiment se reposer sur des
pierres. Les pêcheurs utilisent souvent des appâts
artificiels leur ressemblant car les perles sont très
appréciées des poissons, notamment des truites.

Panorpe

Poisson d'argent

Puce

## LES PUCES

Le régime de la puce,
qui se nourrit de
préférence sur les
mammifères, est composé de sang.
Sa consommation quotidienne de sang
représente, en moyenne, 15 fois son propre
poids. Son cycle de vie se déroule en
grande partie (95 % du cycle) sous forme
d'œuf, de larve ou de pupe. L'adulte
ne peut survivre et pondre que s'il a
sa ration quotidienne de sang.

## LES PANORPES

L'ordre des Mécoptères (mouches-scorpions
ou panorpes) ne regroupe que 400 espèces,
la plupart ne dépassant pas 2 cm. Il est
présent dans le monde entier. La queue
du mâle est recourbée vers le haut comme
celle d'un scorpion, mais l'insecte est
inoffensif et dépourvu de venin.

## LES THYSANOURES

Il existe environ 600 espèces de Thysanoures réparties
dans le monde entier. Le « poisson d'argent » montré
ci-dessus mesure environ 1 cm. Ces insectes aptères
explorent les maisons à la recherche de nourriture.

## LES LIBELLULES

Les libellules ont de puissantes
mandibules et se servent de
leurs pattes pour attraper des
proies. Leurs grands yeux leur
procurent une vue excellente.
L'ordre des Odonates est très
ancien : il existait bien
avant les dinosaures.

Sauterelle

*Les thrips
apprécient
les fleurs.*

Thrip

## LES SAUTERELLES ET LES CRIQUETS

L'ordre des Orthoptères comporte
17 000 espèces, dont le criquet pèlerin,
très nuisible. Les antennes des criquets
sont des organes sensoriels.

## LES THRIPS

Au nombre de 3 000 espèces, les thrips,
insectes minuscules, dépassent rarement
les 0,25 cm. Ils vivent dans les cultures
et sont parfois fort nuisibles aux récoltes.
Se déplaçant en essaims par temps lourd,
ils annoncent l'arrivée des orages.

Libellule

*...chrysopes se nourrissent
...utres insectes.*

## LES CHRYSOPES

Groupe d'insectes aux ailes finement nervurées,
qui comprend plus de 6 000 espèces. La larve
se dissimule des prédateurs dans la peau
vide de sa proie.

*Les éphémères
adultes ne peuvent
pas se nourrir et
meurent donc
rapidement.*

Éphémères

Chrysope

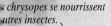

## LES ÉPHÉMÈRES

Comme leur nom l'indique,
ces insectes fins et délicats ont
une existence adulte très courte.
Ils passent parfois 3 ans sous forme
de larve, puis certains meurent quelques
heures à peine après être devenu adulte.

# POUR EN SAVOIR PLUS

Pour se familiariser avec ces petites bêtes sans trop s'en approcher, le mieux est de se rendre au muséum d'histoire naturelle le plus proche de son domicile. On peut y admirer, sans risque, de beaux spécimens d'insectes, bien à l'abri derrière les vitrines ! Il est aussi possible d'entreprendre de merveilleuses explorations chez soi. En effet, les insectes vivent partout autour de nous : depuis les organismes microscopiques dans le tapis ou le canapé jusqu'aux mouches qui tournoient et bourdonnent dans la cuisine. Le jardin ou le parc public sont également des terrains très fertiles.

**MUSÉUM D'HISTOIRE NATURELLE**
Les muséums d'histoire naturelle, comme celui de Paris ou celui de New York, aux Etats-Unis (ci-dessus), sont parmi les meilleurs endroits pour découvrir le monde des insectes. Des spécimens, actuels et disparus, y sont présentés, soigneusement conservés et collectés au fil du temps par des entomologistes.

Exposition d'histoire naturelle

## QUELQUES SITES INTERNET

- Site dédié aux insectes comprenant une galerie de photographies, une taxinomie, la morphologie, la physiologie, des conseils pour les collectionneurs, une bibliographie. insectes.free.fr
- Des dessins commentés, des jeux et des questionnaires pour mieux connaître les insectes. Des liens vers d'autres sites. membres.lycos.fr/ninichoquet/
- « De l'œuf à l'insecte » révèle la morphologie, l'utilité des insectes et propose un album à colorier. www.cs-renelevesque.qc.ca/primaire/oeuf_insecte/index.html

**EXPOSITIONS D'HISTOIRE NATURELLE**
Les muséums d'histoire naturelle ont généralement un secteur consacré à l'entomologie, l'étude des insectes. Sans même quitter son pays, on peut y admirer des spécimens d'espèces exotiques provenant du monde entier ! Parfois des expositions thématiques offrent des informations intéressantes sur des milieux naturels ou des périodes historiques.

*Les pierres, le bois et les feuilles mortes dissimulent souvent toute une vie de colonies d'insectes.*

**LA CAMPAGNE**
Vu le million d'espèces connues, la campagne fourmille toujours d'un large éventail d'insectes. Soulever le moindre morceau de bois suffit à dénicher des colonies travaillant d'arrache-pied. En été, si l'on observe attentivement les fleurs, on verra des insectes à la recherche de nectar.

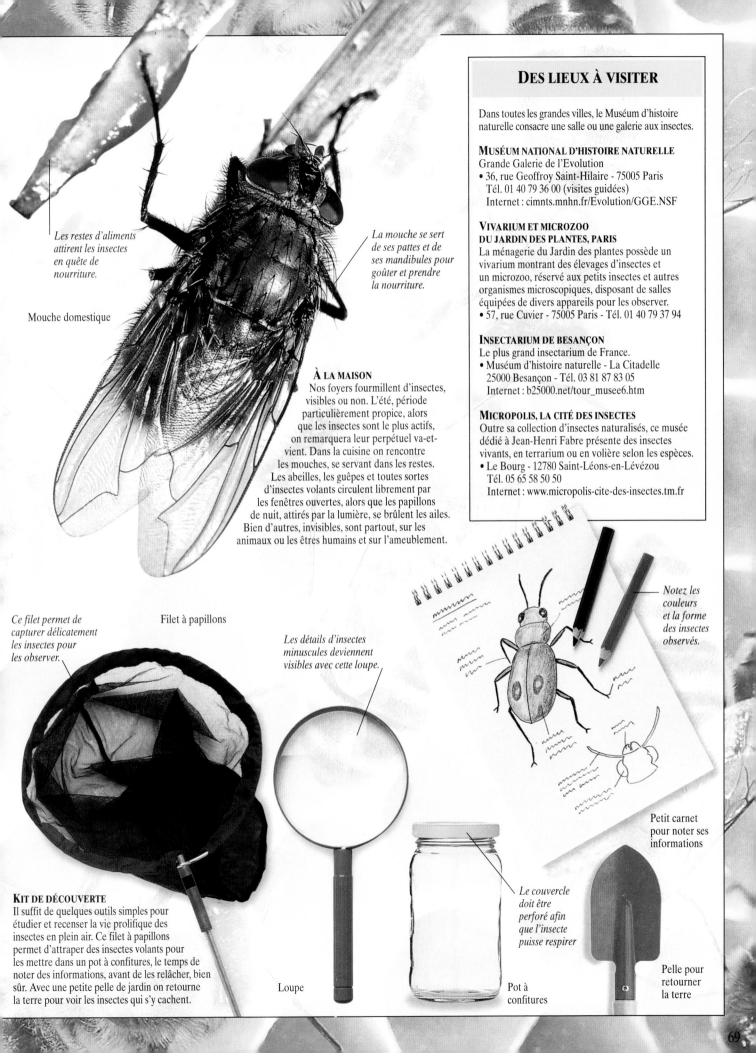

Les restes d'aliments attirent les insectes en quête de nourriture.

Mouche domestique

La mouche se sert de ses pattes et de ses mandibules pour goûter et prendre la nourriture.

### À LA MAISON

Nos foyers fourmillent d'insectes, visibles ou non. L'été, période particulièrement propice, alors que les insectes sont le plus actifs, on remarquera leur perpétuel va-et-vient. Dans la cuisine on rencontre les mouches, se servant dans les restes. Les abeilles, les guêpes et toutes sortes d'insectes volants circulent librement par les fenêtres ouvertes, alors que les papillons de nuit, attirés par la lumière, se brûlent les ailes. Bien d'autres, invisibles, sont partout, sur les animaux ou les êtres humains et sur l'ameublement.

## DES LIEUX À VISITER

Dans toutes les grandes villes, le Muséum d'histoire naturelle consacre une salle ou une galerie aux insectes.

**MUSÉUM NATIONAL D'HISTOIRE NATURELLE**
Grande Galerie de l'Evolution
• 36, rue Geoffroy Saint-Hilaire - 75005 Paris
  Tél. 01 40 79 36 00 (visites guidées)
  Internet : cimnts.mnhn.fr/Evolution/GGE.NSF

**VIVARIUM ET MICROZOO
DU JARDIN DES PLANTES, PARIS**
La ménagerie du Jardin des plantes possède un vivarium montrant des élevages d'insectes et un microzoo, réservé aux petits insectes et autres organismes microscopiques, disposant de salles équipées de divers appareils pour les observer.
• 57, rue Cuvier - 75005 Paris - Tél. 01 40 79 37 94

**INSECTARIUM DE BESANÇON**
Le plus grand insectarium de France.
• Muséum d'histoire naturelle - La Citadelle
  25000 Besançon - Tél. 03 81 87 83 05
  Internet : b25000.net/tour_musee6.htm

**MICROPOLIS, LA CITÉ DES INSECTES**
Outre sa collection d'insectes naturalisés, ce musée dédié à Jean-Henri Fabre présente des insectes vivants, en terrarium ou en volière selon les espèces.
• Le Bourg - 12780 Saint-Léons-en-Lévézou
  Tél. 05 65 58 50 50
  Internet : www.micropolis-cite-des-insectes.tm.fr

Ce filet permet de capturer délicatement les insectes pour les observer.

Filet à papillons

Les détails d'insectes minuscules deviennent visibles avec cette loupe.

Notez les couleurs et la forme des insectes observés.

Petit carnet pour noter ses informations

### KIT DE DÉCOUVERTE

Il suffit de quelques outils simples pour étudier et recenser la vie prolifique des insectes en plein air. Ce filet à papillons permet d'attraper des insectes volants pour les mettre dans un pot à confitures, le temps de noter des informations, avant de les relâcher, bien sûr. Avec une petite pelle de jardin on retourne la terre pour voir les insectes qui s'y cachent.

Le couvercle doit être perforé afin que l'insecte puisse respirer

Loupe

Pot à confitures

Pelle pour retourner la terre

# GLOSSAIRE

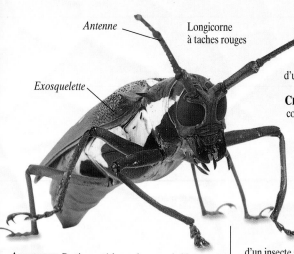

Antenne

Longicorne à taches rouges

Exosquelette

**ABDOMEN** Partie postérieure du corps de l'insecte.

**ANTENNE** Appendice sensoriel situé de part et d'autre de la tête.

**APPENDICE** Tout membre ou organe relié au corps par une articulation.

**AQUATIQUE** Qui vit dans l'eau ou près de l'eau.

**ARTHROPODE** Invertébré avec un squelette externe et des pattes articulées, comme les insectes et les araignées. Les insectes se reconnaissent aux trois segments de leur corps, à leurs trois paires de pattes et à leurs antennes. Les araignées disposent de quatre paires de pattes.

**ASTICOT** Larve dépourvue de pattes et à tête peu développée.

**CAMOUFLAGE** Aspect de l'insecte lorsqu'il adopte la couleur ou prend la forme la plus répandue dans son environnement afin de se dissimuler aux yeux de ses prédateurs ou de ses victimes.

**CELLULE ROYALE** Cellule dans laquelle la reine, chez les abeilles, passe de la larve au stade adulte.

**CERQUES** Paire d'appendices, parfois très longs, situés à l'extrémité de l'abdomen de certaines espèces, par exemple le perce-oreille (Dermaptère) ou le grillon (Orthoptère).

**CHAROGNARD** Qui se nourrit de cadavres d'animaux morts (synonyme : nécrophage).

Chenille de papillon
Crow swallowtail

**CHENILLE** Larve d'un papillon de jour ou de nuit (Lépidoptère Rhopalocère ou Hétérocère) ou d'une « mouche à scie » (Hyménoptère).

**CHITINE** Substance coriace dont est composé l'exosquelette de l'insecte.

**CHRYSALIDE** Nymphe d'un papillon de jour ou de nuit.

**COCON** Fourreau qui protège la nymphe de nombreuses espèces, composé en partie ou totalement de soie et filé par la larve.

**COLONIE** Population locale d'un insecte social (abeilles, fourmis, termites), souvent issue d'une même reine.

**COXA** Segment basal de la patte, qui la relie au corps.

**DIMORPHISME** Différence de taille, de forme ou de couleur entre des individus d'une même espèce, caractérisant 2 types distincts (ex. : l'ouvrière et le soldat chez les fourmis).

**EXOSQUELETTE** Carapace coriace à l'extérieur du corps d'un insecte, faite d'un tégument rigide ayant la forme de plaques bombées et de tubes articulés.

**FAUSSES PATTES** Pattes abdominales d'une larve, différentes d'une « vraie » patte thoracique. Désigne particulièrement les pattes postérieures charnues de la chenille.

**GRUB** Larve trapue avec des pattes thoraciques et une grosse tête, à l'apparence léthargique.

**INSECTE UTILE** Insecte dont le mode de vie est utile aux humains, par son activité de pollinisation, de recyclage des détritus ou par la préservation de l'équilibre du milieu lorsqu'il se nourrit d'autres insectes ravageurs des cultures (ex. : la coccinelle).

Scolopendre, arthropode mais pas insecte

**INVERTÉBRÉ** Animal sans colonne vertébrale.

**LARVE** Insecte jeune, souvent très différent de l'adulte et à l'alimentation distincte. Lorsqu'elle parvient à maturité, la larve subit une métamorphose partielle ou totale.

**LATÉRAL** Situé sur le côté du corps dans la partie appelée flanc. La partie latérale porte les stigmates, qui sont des orifices d'arrivée de l'air circulant par la trachée ramifiée en réseau dans le corps de l'insecte.

**MANDIBULES** Première paire de pièces buccales de la mâchoire de l'insecte, utilisées pour la mastication (auxquelles s'ajoutent les palpes). Fortement dentées chez certains insectes (fourmis, libellules), elles servent à mordre, couper, déchirer, broyer. Chez les punaises, les cigales, les moustiques, elles sont tubulaires et pointues pour aspirer.

**MAXILLE** Seconde paire de pièces buccales de la mâchoire de l'insecte, situées derrière les mandibules.

**MÉSOTHORAX** Segment thoracique central qui porte les pattes du milieu et les ailes antérieures.

**MÉTAMORPHOSE** Série de transformations que subit un insecte depuis le début de sa vie à sa sortie de l'œuf jusqu'à l'âge adulte. Ceux dont la métamorphose est incomplète, comme le criquet, insecte hétérométabole, ont une larve au stade juvénile qui est le modèle réduit de l'adulte et qui subit plusieurs mues pour augmenter de taille. Avec une métamorphose complète chez les insectes holométabole, le cycle de vie passe par un stade larvaire très différent de l'adulte (ex. : la chenille chez le papillon) pour connaître ensuite une phase dormante (ex. : la pupe chez la mouche). L'état nymphal s'achève brusquement avec l'apparition de l'imago, ultime stade de la métamorphose donnant l'insecte parfait. Dans ces deux cas possibles de métamorphose, la croissance s'arrête normalement à l'âge adulte ; l'insecte devient alors capable de se reproduire.

**MÉTATHORAX** Le troisième segment thoracique, qui porte les pattes et les ailes postérieures. Il semble parfois faire partie de l'abdomen.

**MOUCHES VRAIES** Mouches qui ne possèdent qu'une seule paire d'ailes. La deuxième, très réduite, sert de balancier ou de détecteur de vitesse de l'air durant le vol. Nom scientifique : Diptères.

**MUE** Changement d'exosquelette opéré par remplacement des téguments chitineux sous l'influence des hormones de croissance. L'exuvie est l'exosquelette abandonné par l'insecte.

Les papillons sont le résultat d'une métamorphose.

**NECTAR** Liquide sucré sécrété par de nombreuses fleurs, dont se nourrissent certains insectes.

**NYMPHE** Stade immobile précédant l'adulte des insectes à métamorphose complète. Elle porte les appendices en formation et ne ressemble pas encore à l'imago (ex. : la chrysalide, stade nymphal de développement du papillon).

**OCELLE** Œil simple des insectes ou des araignées. Tache avec une couleur centrale et une autre périphérique, ayant une forme arrondie ressemblant à un œil, placée sur les ailes de certains papillons.

**ŒIL COMPOSÉ** Organe de la vue muni de nombreuses facettes, sortes de cellules alvéolées autonomes servant à la détection rapide des mouvements environnants.

**OOTHÈQUE** Capsule contenant des œufs : la blatte comme la mante femelle produisent une oothèque faite de sécrétions de glandes génitales.

**OUVRIER** Membre stérile d'une colonie d'insectes, dont les tâches incluent la recherche de nourriture.

**OVIPOSITEUR** Organe de ponte tubulaire chez l'insecte femelle destiné à guider les œufs. Beaucoup d'espèces les cachent ainsi dans le sol ou percent des matériaux comme le bois pour atteindre la proie qui sera parasitée par la larve.

**PALPE** Organe sensoriel segmenté pour saisir et goûter les aliments.

**PARASITE** Organisme qui passe l'ensemble ou une partie de sa vie en association étroite avec une autre espèce, dont il se nourrit sans rien donner en échange. Les ectoparasites (ex. : les poux) vivent à l'extérieur de leur hôte ; les endoparasites (ex. : les vers intestinaux), à l'intérieur.

**PAROI** Enveloppe protectrice fabriquée par certaines guêpes autour de leur nid, généralement en papier fait de fibres de bois mastiquées et mélangées à de la salive.

**PARTHÉNOGENÈSE** Reproduction sans fécondation.

**POLLEN** Elément mâle produit par la fleur pour la fécondation, souvent véhiculé par les insectes.

**POSTÉRIEUR** Qui concerne l'arrière (ex. : une aile ou une patte postérieures).

**PRÉDATEUR** Un animal qui chasse un autre animal pour s'en nourrir.

**PROBOSCIS** Pièce buccale allongée (ex. : rostre de la punaise, trompe de la mouche ou des papillons, langue des abeilles).

**PROTHORAX** Premier segment thoracique, où s'articule la tête, porteur de la première paire de pattes.

**PUPE** Stade immobile de la métamorphose complète, entre la larve et l'adulte, chez les Diptères (mouches et moustiques).

**RAVISSEUSE** Patte antérieure adaptée pour saisir des proies, comme chez la mante religieuse.

**ROSTRE** Pièce buccale rigide dans le prolongement de la tête, adaptée pour piquer ou percer, comme chez les charançons ou les punaises.

**SCOPE** Appareil qui sert à emmagasiner le pollen, comme le panier à pollen sur les pattes des abeilles ou les poils sur l'abdomen.

Image microscopique d'un capricorne

**SEGMENT** Un des anneaux qui forment le corps de l'insecte, ou un des éléments d'un appendice articulé.

**SERRATIFORME** Profil en dents de scie.

**SOLDAT** Chez les termites (Isoptères), le soldat est un mâle stérile et, chez les fourmis (Hyménoptères), c'est une femelle à grosse tête et mandibules puissantes, qui défend la colonie.

**TARSE** « Pied » de l'insecte, appendice articulé au bout de la patte.

**THORAX** Partie du corps entre la tête et l'abdomen, sur laquelle sont fixées les pattes et les ailes. Il est divisé en trois segments : le prothorax, le mésothorax et le métathorax.

**TIBIA** Sur la patte, partie située avant le tarse.

**TRACHÉE** Tube qui conduit l'air dans le corps.

**TYMPAN** Membrane vibratoire de l'organe auditif situé à divers endroits du corps de certains insectes.

**ULTRAVIOLET** Radiation au-delà de la limite violette du spectre lumineux. Il est invisible pour la plupart des mammifères, mais visible pour les insectes.

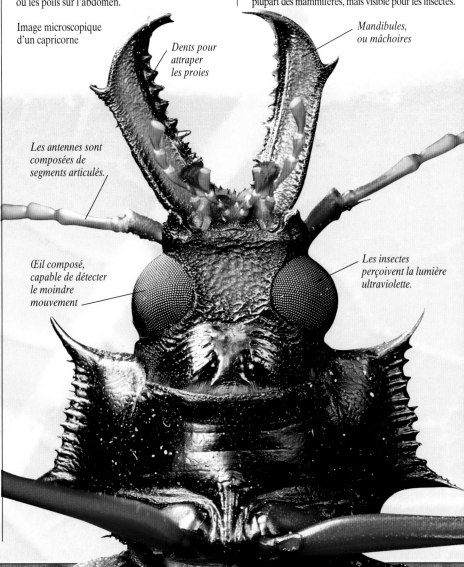

Dents pour attraper les proies

Mandibules, ou mâchoires

Les antennes sont composées de segments articulés.

Œil composé, capable de détecter le moindre mouvement

Les insectes perçoivent la lumière ultraviolette.

# CLASSIFICATION

| SOUS-CLASSE | ORDRE | CARACTÉRISTIQUES |
|---|---|---|
| APTÉRYGOTES ou insectes aptères | Collemboles (podures...), p. 10 | Minuscules insectes aptères, munis d'un organe de saut en forme de fourche. |

### À MÉTAMORPHOSES INCOMPLÈTES

| | | |
|---|---|---|
| PTÉRYGOTES ou insectes ailés | Éphéméroptères ou Éphémères, p. 8 | 4 ailes, les postérieures très petites ou inexistantes. Larves aquatiques. |
| | Odonates ou Libellules, pp. 8, 11, 26-29, 41, 49 | 4 ailes translucides presque égales. Larves aquatiques. |
| | Dermaptères ou Perce-oreilles, pp. 8, 41, 61 | Une paire de pinces à l'extrémité de l'abdomen. 4 ailes, les antérieures petites. |
| | Isoptères ou Termites, p. 55 | 4 ailes égales. Abdomen avec deux cerques courts. Insectes sociaux. |
| | Blattoptères ou Blattes, pp. 8, 23, 41 | 4 ailes presques égales. Abdomen avec 2 cerques courts. |
| | Mantoptères ou Mantes, pp. 19, 40 | Pattes antérieures ravisseuses. 4 ailes presque égales, 2 cerques courts. |
| | Chéleutoptères ou Phasmes, pp. 8, 19, 40 | Ressemblent à des brindilles ou à des feuilles. 4 ailes, les antérieures étroites. |
| | Orthoptères (grillons, sauterelles...), pp. 8, 17-19, 61 | Pattes postérieures puissantes adaptées au saut. 4 ailes, les antérieures étroites. |
| | Hétéroptères (punaises...), pp. 8, 36-37, 40, 48 | Rostre pour piquer et sucer. 4 ailes, antérieures mi-coriaces, mi-membraneuses. |
| | Homoptères (pucerons...), pp. 36, 61 | Rostre pour piquer et sucer. 4 ailes membraneuses. |

### À MÉTAMORPHOSES COMPLÈTES

| | | |
|---|---|---|
| | Planipennes, p. 41 | Ressemblent à des libellules, mais avec des antennes plus longues. |
| | Coléoptères, pp. 6-7, 8, 12-13, 16-17, 22-25, 30-31, 60 | Ailes antérieures dures et protégeant les postérieures membraneuses. |
| | Hyménoptères (guêpes, abeilles, fourmis), pp. 38-39 | 2 paires d'ailes membraneuses unies pendant le vol. Un aiguillon, ou tarière. |
| | Lépidoptères ou Papillons, pp. 38-39, 42-43, 46, 50-59 | 4 ailes recouvertes d'écailles colorées. Leurs larves sont des chenilles. |
| | Diptères (mouches, moustiques), pp. 8, 32-33, 61 | 2 ailes et 2 balanciers. Pièces buccales pour piquer et sucer. |
| | Siphonaptères ou Puces, p. 41 | Pas d'aile. Pièces buccales pour piquer et sucer. Pattes postérieures adaptées au saut. |

# NOTES

L'auteur remercie ses collègues du Natural History Museum : S. Shute, J. Marshall, B. Dolling, G. Else, D. Carter, N. Fergusson, J. Chainey, S. Brooks, N. Wyatt, P. Ackery, P. Broomfield, B. Sands, B. Bolton, M. Day, D. Vane-Wright. Dorling Kindersley remercie J. Harvey du Natural History Museum ; le Zoo de Londres ; D. King pour ses photos pp. 56-57.

# ICONOGRAPHIE

h=haut, b=bas, c=centre, d=droit, g=gauche

Aldus Archive 61bg; Angel Heather/ Biophotos 7bd, 10c, 11hd; Biophoto Associates 36cg, 41bg; Boorman, J. 42c; Borroh B./Frank Lane 18hg; Borrell B./Frank Lane 56hd, 67cd; Bunn D.S. 50hg; Burton J./Bruce Coleman 3bg, 34cd, 36hg, 39bd; Cane W./Natural Science Photos 32c, 61bc; Clarke D. 23hc, 47b; Clyne D./Oxford Scientific Films 57hg, 57hc, 57hd; Cook J.A.L./Oxford Scientific Films 12hg; Cough C./Natural History Museum 15bd; Craven P./Robert Harding Picture Library 7h; Dalton S./NHPA 37cg; David J./Fine art photos 38hd; Fogden M./Oxford Scientific Films 10cg; Foto Natura Stock/FLPA 66cd; Goodman J./NHPA 9cg; Hellio & Van Ingen/NHPA 64bg; Holford M. 15cd; Hoskings E. & D.39hc; James E.A./NHPA 46bd; King K./Planet Earth 57c; Kobal Collection 40hg; Krist, Bob/Corbis 68cd; Krasemann S./NHPA 47hd; Lofthouse B. 25hd; Mackenzie M.A./Robert ; Harding Picture Library 37bd ; Mary Evans Picture Library 61hc, 64hd; Minden Pictures/FLPA 71b; National Film Archive 32hg; Natural History Museum 12hd, 14bg, 65hd, 66c; Oliver, Stephen 69bc; Overcash D./Bruce Coleman 15bg; Oxford Scientific Films 20hg; Packwood R./Oxford Scientific Films 56hd; Pitkin B./Natural History Museum 42c; Polking, Fritz/FLPA 64hg; Popperphoto 61hg; Robert Harding Picture Library 30g; Rutherford G./Bruce Coleman 7bc; Sands B. 55c; Shaw, John/Bruce Coleman Ltd 67bd; Shay A./Oxford Scientific Films 20bc; Springate N.D./ Natural History Museum 63bc; Taylor K./Bruce Coleman 21hg, 31b; Taylor K. 33c; Thomas, M. J./FLPA 68b; Vane-Wright D./Natural History Museum 16bd; Ward P.H. & S.L./Natural Science Photos 44cd; Williams C./Natural Science Photos 36cg; Young, Jerry 66bg.

Couverture : © Dorling Kindersley Ltd pour tous les documents

Nous nous sommes efforcés de retrouver les propriétaires des copyrights. Nous nous excusons pour tout oubli involontaire. Nous effectuerons toute modification éventuelle dans nos prochaines éditions.

J
595.7
MOU
Fr

AIS041553